Madeira

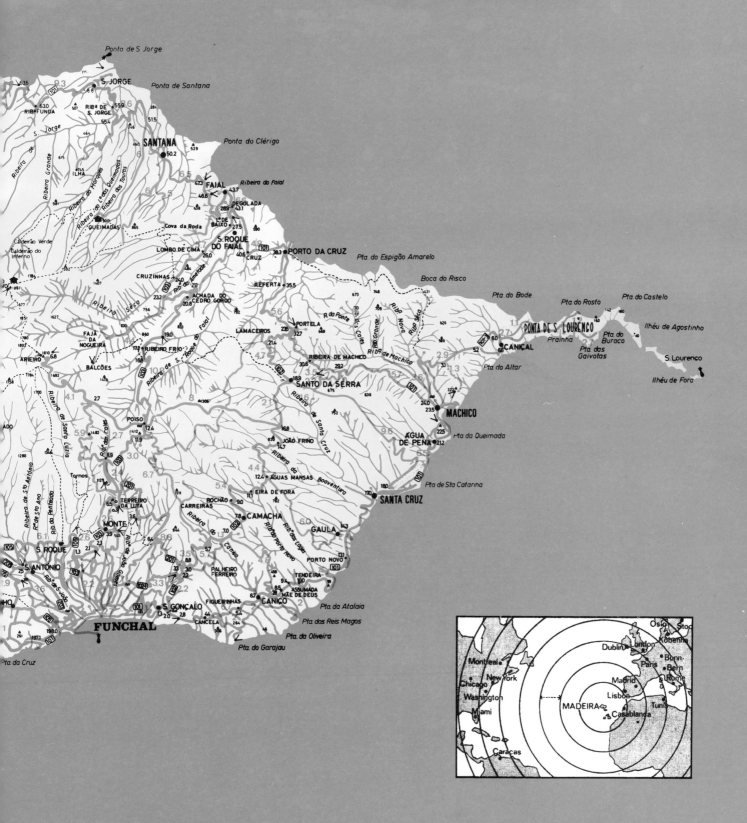

MADEIRA

Ilha de sonho
Ile de rêve
Island of dream
Trauminsel

MADEIRA

Ilha de sonho
Ile de rêve
Island of dream
Trauminsel

EDITORES
EDITEURS
PUBLISHERS
HERAUSGEBER

FRANCISCO RIBEIRO & FILHOS, LDA.
Rua Nova de S. Pedro, 27-29
9000 FUNCHAL
Madeira, Portugal
Telefone 351.091-223930
Fax 351.091-228427

3ª Ediçao 1996
Dep. Legal B. 30207-1996
ISBN 972-9177-14-7 português, français, english, deutsch

ISBN 972-9177-07-4 español, italiano, nederlands, japanese
ISBN 972-9177-08-2 dansk, norsk, svenska, suomi

Printed in C.E.E.
FISA - Escudo de Oro, S.A.

Capa da frente / Front cover = Funchal
Capa de trás / Back cover = Cabo Girão

INTRODUÇÃO

O Arquipélago da Madeira, formado pelas ilhas da Madeira, Porto Santo, Desertas e Selvagens, está situado no Atlântico, bem perto da Europa, a 535 milhas de Lisboa e a 320 milhas da África do Norte. A ilha da Madeira tem 741 km^2 e cerca de 270.000 habitantes. O Porto Santo tem 38 km^2 e aproximadamente 3.500 habitantes. As Desertas e as Selvagens são pequenas ilhas desabitadas. Por decreto governamental as Selvagens são uma Reserva Natural e desde 1990 são as Desertas uma Área de Protecção Especial.

Após 1418, o Infante D. Henrique, genial iniciador dos descobrimentos portugueses, mandou colonizar a Madeira e o Porto Santo, ilhas que já eram conhecidas dos portugueses desde o século XIV. Cristóvão Colombo passou várias vezes pela Madeira e Porto Santo e aqui casou com a filha de Bartolomeu Perestrelo, primeiro capitão-donatário do Porto Santo. Ao consultar os mapas e os roteiros do sogro, teria tido a ideia de descobrir o Novo Mundo.

Por causa da amenidade do clima, a Madeira é conhecida como o Paraíso do Atlântico, uma Ilha de Sonho, procurada todo o ano por milhares de turistas e sobretudo no inverno por aqueles que fogem aos rigores do frio dos seus países. Alguém afirmou que a Madeira é a ilha onde a primavera vem passar o inverno. De uma beleza invulgar, mais parece um sonho do que realidade. O viajante que se aproxima logo fica deslumbrado com a grandiosidade dos seus montes, a amenidade dos seus vales e o relevo caprichoso do seu solo. Já se afirmou que esta ilha se pode considerar uma concretização do mundo esplendoroso e fantástico de Walt Disney.

Com o seu clima subtropical, a Madeira é o paraíso ideal das flores e frutos. Estrelícias, antúrios, orquídeas e uma variedade imensa de flores raras ostentam-se por toda a parte, em contínuo festival de eterna primavera. O Jardim Botânico, a Quinta das Cruzes, o Parque de Santa Catarina, a Quinta Magnólia e o Jardim Municipal, bem como muitos jardins particulares, são um encanto para quantos os visitam.

Frutos muito apreciados são a banana, a anona, o abacate, a manga, a goiaba, etc.

Produtos madeirenses de renome mundial, exportados em grande quantidade: o vinho, os bordados, as tapeçarias e os artigos de vime.

A Madeira possui vários monumentos e museus e oferece possibilidades para a prática de desportos e divertimentos, que proporcionam ao turista uma estadia inolvidável. A preocupação dos responsáveis pelo Turismo é que o visitante encontre repouso, encantamento e distracções: campos de ténis, golf e outros desportos, bem como cafés, restaurantes típicos e um moderno casino; todos os domingos, jogos de futebol com clubes da primeira divisão vindos do continente português; pesca submarina e passeios de mar em confortáveis lanchas; excursões diárias a vários pontos da ilha e o rali automóvel, no fim de Julho, em que tomam parte alguns dos melhores volantes do mundo.

Ao longo do ano há festas que vão ganhando merecida fama internacional pelo cuidado e perfeição com que se realizam: Cortejo do Carnaval, Festa da Flor, Festa das Vindimas e a Noite de S. Silvestre. No verão há também as festas populares religiosas, um pouco por toda a ilha e também no Porto Santo.

Na frescura dos seus parques floridos e no festival permanente da sua paisagem, imponente e majestosa, a Madeira, ilha cheia de sol e ar puro, oferece ao turista a tranquilidade, o repouso e a alegria de viver.

Longe dos centros trepidantes e do stress da vida moderna, a Madeira e o Porto Santo são na verdade um oásis de paz, onde ainda é possível reencontrar o equilíbrio perdido.

Nas suas viagens para o Novo Mundo, a Madeira era o porto preferido por Cristóvão Colombo.

Nas rotas do Turismo Moderno, a Madeira continua a ter a preferência dos que procuram o repouso em paz e beleza.

INTRODUCTION

L'Archipel de Madère, formé par les îles de Madère, Porto Santo, Désertes et Sauvages, est situé dans l'océan Atlantique, tout près de l'Europe, à 535 milles de Lisbonne et à 320 milles de l'Afrique du Nord. L'île de Madère couvre 741 km² et compte près de 270.000 habitants. Porto Santo, 38 km² et quelques 3.500 habitants. Les Désertes et les Sauvages sont des îlots inhabités. Un décret gouvernemental a fait des Sauvages une Réserve naturelle et à partir de 1990 sont les Désertes une Zone de protection spéciale.

Après 1418, l'Infant Henri, qui eut l'initiative géniale des découvertes portugaises, ordonna la colonisation de Madère et Porto Santo, îles que les Portugais connaissaient déjà depuis le XIVème siècle. Christophe Colomb passa à plusieurs reprises par Madère et Porto Santo et y épousa la fille de Bartolomeu Perestrelo, premier capitaine-gouverneur de Porto Santo. C'est en consultant les cartes et itinéraires de son beau-père qu'il aurait eu l'idée de découvrir le Nouveau Monde.

En raison de la douceur de son climat, Madère est connue comme étant le «Paradis de l'Atlantique», une «île de rêve», que recherchent toute l'année des milliers de touristes, surtout ceux qui fuient en hiver les rigueurs du froid qui frappe leur pays. Quelqu'un a dit que Madère est l'île où le printemps vient passer l'hiver. D'une beauté peu commune, elle ressemble plus à un rêve qu'à une réalité. Le voyageur qui s'en approche reste ébloui par la grandeur de ses montagnes, la douceur de ses vallées et le relief capricieux de son sol. D'autres ont déjà affirmé que cette île mérite d'être considérée comme la concrétisation du monde splendide et fantastique de Walt Disney.

Avec son climat subtropical, Madère est la terre de prédilection des fleurs et des fruits. Strelitzias, anthuriums et orchidées, ainsi qu'une variété immense de fleurs rares, s'épanouissent à l'envi en un perpétuel festival de printemps éternel. Le Jardin botanique, la Quinta das Cruzes, le parc de Sainte-Catherine, la Quinta Magnólia et le Jardin municipal, ainsi que beaucoup de jardins privés, sont un enchantement pour tous ceux qui les visitent.

Les fruits les plus appréciés sont: la banane, l'anone, l'avocat, la mangue, la goyave, etc... Parmi les produits de Madère de renommée mondiale et exportés en grandes quantités: le vin, les broderies, les tapisseries et les articles en osier.

Madère possède plusieurs monuments et musées, et offre la possibilité de pratiquer différents sports ou loisirs qui rendent le séjour des touristes absolument inoubliable. La préoccupation des responsables du Tourisme est de procurer aux visiteurs repos, plaisir et distractions: courts de tennis, terrains de golf et autres sports, cafés, restaurants typiques et même un casino moderne; tous les dimanches, rencontres de football entre clubs de première division venus du continent portugais; pêche sous-marine et promenades en mer dans de confortables embarcations; excursions quotidiennes vers plusieurs points de l'île et un rally automobile fin juillet, auquel participent certains des meilleurs pilotes du monde.

L'année est parsemée de fêtes qui gagnent peu à peu une renommée internationale méritée, en raison du soin et de la perfection que l'on met à leur réalisation: défilé de Carnaval, fête des Fleurs, fête des Vendanges et la nuit de la Saint-Sylvestre. En été, des fêtes populaires religieuses sont également célébrées un peu partout dans l'île, ainsi qu'à Porto Santo.

Dans la fraîcheur de ses parcs fleuris et dans la fête permanente de ses paysages, imposante et majestueuse, Madère, île regorgeant de soleil et d'air pur, offre au touriste tranquillité, repos et joie de vivre. Loin des centres trépidants et du stress de la vie moderne, Madère et Porto Santo constituent réellement une oasis de paix, où seul il est possible de retrouver l'équilibre perdu.

Dans ses voyages vers le Nouveau Monde, Madère était l'escale préférée de Christophe Colomb,

Sur les chemins du tourisme moderne, Madère continue à être privilégiée par ceux qui cherchent le repos dans la paix et la beauté.

INTRODUCTION

The Madeira Archipelago, comprising the islands of Madeira and Porto Santo as well as the Desertas and Selvagens, is located in the Atlantic Ocean, not very far from Europe: 535 miles from Lisbon, 320 from North Africa. Madeira has a surface area of 741 sq.km. and a population of about 270,000; Porto Santo covers 38 sq.km. and is inhabited by some 3,500 people. The Desertas and Selvagens are small, uninhabited islands; by virtue of a government decree, the Selvagens are a strict nature reserve and since 1990 the Desertas are considered a Special Protected Area.

The Portuguese knew of Madeira and Porto Santo as early as the 14th century; their settlement was ordered after 1418 by Prince Henry the Navigator, the brilliant instigator of Portugal's maritime discoveries. Christopher Columbus called at Madeira and Porto Santo several times, and here he married the daughter of Bartolomeu Perestrello, Porto Santo's first hereditary governor. It may have been on perusal of his father-in-law's maps and charts that he conceived the idea of discovering the New World. Because of its delightful climate, Madeira is known as the "Paradise of the Atlantic" or a "dream island", sought out by thousands of tourists all year round, particularly by those seeking refuge from severe weather in their own countries at wintertime. It was once remarked that Madeira is the island where spring comes to spend the winter! It is so exceptionally beautiful that it can seem more like a dream than reality: the visitor is dazzled by its imposing mountains, agreeable valleys and the capricious appearance of its relief outline. It has been said that the island is like a version of the exuberant, fantastic world of Walt Disney come true.

Thanks to its subtropical climate, Madeira is a paradise for flowers and fruit. Bird-of-paradise flowers, anthuriums, orchids and a vast range of rare flowers can be admired everywhere: a continuous festival of eternal spring. The Botanical Garden, Quinta das Cruzes, Santa Catarina Park, Quinta Magnólia and the Municipal Garden, as well as many private gardens, will enchant all visitors.

Bananas, custard apples, avocado pears, mangoes and guavas are just some of the reputed varieties of fruit grown here.

Madeiran products of world renown, exported in large quantities, include wine, embroidery, tapestries and wickerwork.

There are a number of interesting monuments and museums on Madeira; the island also offers many opportunities for sports and recreation, helping to make the tourist's stay an unforgettable one. The tourist authorities' intention is that visitors should find repose, charm and amusement: tennis courts, a golf course and other sports facilities, as also cafés, typical restaurants and a modern casino. On Sundays there are football matches with First Division teams from the Portuguese mainland. Underwater fishing and trips out to sea in comfortable boats are also available, as are excursions to various parts of the island every day. At the end of July, Madeira hosts an automobile rally in which some of the best drivers in the world take part.

A number of festivities are organized at different times of year, with such care and meticulousness that they are achieving well-deserved international renown: the Carnival Procession, Flower Festival, Grape Harvest Festival and New Year's Eve. In summer there are also popular religious feasts all over the island and on Porto Santo.

With its shaded gardens bedecked with flowers and the constant marvel of its majestic landscapes, the island of Madeira, brimming with sun and fresh air, provides the tourist with peace, calm and joie de vivre.

Far from the bustling cities and stress of modern life, Madeira and Porto Santo constitute a real oasis of peace where it is still possible to recover the equilibrium of the past.

Madeira was Christopher Columbus's favourite port of call on his voyages to the New World.

Among all contemporary tourist destinations, Madeira still enjoys the preference of those in search of rest in an atmosphere of peace and beauty.

EINFÜHRUNG

Die Inselgruppe Madeira, die aus Madeira, Porto Santo, Desertas und Selvagens besteht, liegt im Atlantik, in unmittelbarer Nähe Europas, 535 Meilen von Lissabon und 320 Meilen von Nordafrika entfernt. Die Insel Madeira hat 741 qkm Oberfläche und etwa 270.000 Einwohner. Porto Santo 38 qkm und ungefähr 3.500 Bewohner. Desertas und Selvagens sind kleine, unbewohnte Inseln. Durch Regierungserlass sind die Selvagens ein Naturschutzgebiet und seit 1990 sind die Desertas ein «Spezielles Geschütztes Gebiet».

Nach 1418 liess Infant D. Henrique, der geniale Wegbereiter der portugiesischen Entdeckungen, Madeira und Porto Santo kolonisieren, die den Portugiesen bereits seit dem XIV. Jahrhundert bekannt waren. Christoph Kolumbus kam verschiedene Male nach Madeira und Porto Santo und verheiratete sich hier mit einer Tochter Bartolomeu Perestrelos, des ersten Kapitäns und Beschenkten von Porto Santo. Beim Konsultieren der Karten und Routen des Schwiegervaters könnte ihm der Gedanke gekommen sein, die neue Welt zu entdecken.

Dank der Milde des Klimas ist Madeira als «Paradies des Atlantiks» bekannt, eine Trauminsel, die das ganze Jahr von tausenden Touristen aufgesucht wird, im Winter besonders von denen, die von der strengen Kälte ihrer Länder flüchten. Jemand behauptete, Madeira sei eine Insel, wo der Frühling den Winter verbringt. Von ungewöhnlicher Schönheit, scheint sie mehr Traum als Wirklichkeit. Der Reisende wird sofort von der Grossartigkeit ihrer Berge, der Stille ihrer Täler und dem kapriziösen Relief ihres Bodens verblüfft. Man hat behauptet, dass diese Insel als eine Verwirklichung der prächtigen, phantastischen Welt Walt Disneys gelten kann.

Mit subtropischem Klima ist Madeira das ideale Paradies der Blumen und Früchte. Strelitzias, Flamingoblumen, Orchideen und eine ungeheure Vielfalt seltener Blumen sind überall in einem ständigen Festival ewigen Frühlings zu sehen. Der Botanische Garten, die Quinta das Cruzes, der Park Santa Catarina, die Quinta Magnólia und der Stadtgarten sowie viele private Gärten sind faszinierend für alle Besucher.

Sehr geschätztes Obst sind Banane, Honigapfel, Avocado, Mango, Guayave, etc.

Produkte Madeiras von Weltruf, die in grossen Mengen exportiert werden, sind Wein, Stickereien, Tapisserien und Korbwaren.

Madeira besitzt verschiedene Baudenkmäler und Museen. Ausserdem bietet es Möglichkeiten zu Sport und Vergnügen, die dem Touristen einen unvergesslichen Aufenthalt verschaffen. Die Sorge der Verantwortlichen für Tourismus ist, dass der Besucher Ruhe, Anreiz und Zerstreuung findet: Plätze für Tennis, Golf und andere Sportarten, sowie Cafés, typische Restaurants und ein modernes Kasino; alle Sonntage Fussballspiele mit Mannschaften erster Division, die vom portugiesischen Kontinent kommen; Unterwasserfischfang und Spazierfahrten auf dem Meer in bequemen Booten; tägliche Ausflüge zu verschiedenen Stellen der Insel und Autorallye, Ende Juli, bei der einige der besten Fahrer der Welt teilnehmen.

Das Jahr über werden Feste gefeiert, die wegen der Sorgfalt und Perfektion, mit der sie durchgeführt werden, nach und nach international bekannt werden: Karnevalsparade, Blumenfest, Fest der Weinlese und die Sylvesternacht. Im Sommer werden ebenfalls religiöse Volksfeste an bestimmten Stellen der Insel und auch in Porto Santo gefeiert.

Mit der Frische ihrer blühenden Parks und dem ständigen Schauspiel ihrer eindrucksvollen, majestätischen Landschaft bietet Madeira, die vor Sonne und frischer Luft strotzende Insel, dem Touristen Ruhe, Erholung und Lebensfreude.

Weit weg von den ermüdenden Zentren der modernen Welt, sind Madeira und Porto Santo eine echte Oase des Friedens, wo man noch das verlorene Gleichgewicht wiederfinden kann.

Madeira war der bevorzugte Hafen von Christoph Kolumbus bei seinen Reisen zur neuen Welt.

Bei den modernen Tourismusrouten ist Madeira immer noch die bevorzugte derjenigen, die Ruhe, Frieden und Schönheit suchen.

◁ FUNCHAL

Um aspecto do Palácio de São Lourenço,
fortificação do Séc. XVI.

Vue partielle du Palais de Saint-Laurent, une
fortification du 16e siècle.

Partial view of the Palace of St. Lawrence, a
fortress of the 16th century.

Teilansicht des Hl. Lorenz Palastes,
Befestigung des 16. Jahrhunderts.

O centro da cidade.
Le centre de la ville.
The town centre.
Die Stadtmitte. ▽

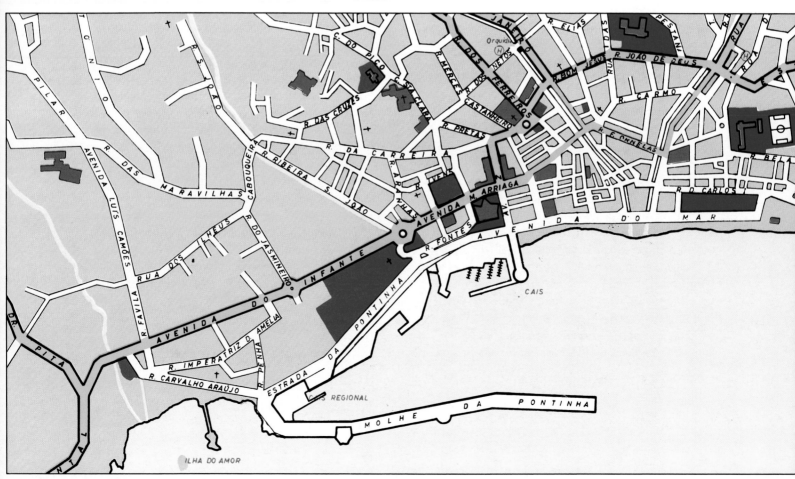

Estátua de João Gonçalves Zarco. Ao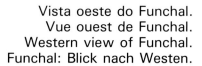
serviço do Infante D. Henrique descobriu a
Madeira em 1420.

Statue de João Gonçalves Zarco qui, au
service du Prince Henri, a découvert Madère
en 1420.

Monument of João Gonçalves Zarco who
discovered Madeira in 1420 when serving
Prince Henry of Portugal.

Denkmal von João Gonçalves Zarco, dem
Entdecker Madeiras, im Jahre 1420.

Vista oeste do Funchal.
Vue ouest de Funchal.
Western view of Funchal.
Funchal: Blick nach Westen.

11

A marina.

La marine.

The marina.

Die Marina.

Moderna esplanada circundando o iate que pertenceu aos Beatles.

Terrasse originale autour du yacht qui appartenait aux Beatles.

Modern esplanade round the yacht formerly belonging to the Beatles.

Moderne Esplanade rund um die früher den Beatles gehörende Jacht.

FOTO FEITA POR: DAVID FRANCISCO

14

À volta do cais da cidade e da marina abundam as esplanadas, óptimos locais de encontro para um café ou uma boa refeição.

Les terrasses autour du quai et de la marine sont très appreciées pour un rafraîchissement ou un agréable répas.

The esplanades round the town pier and the marina are popular places for a cup of coffee or a good meal.

Die vielen Lokale um den Stadtkai und die Marina sind beliebte Plätze für einen Kaffee oder eine gute Mahlzeit.

Bem no centro da cidade, a frescura do Jardim Municipal convida ao repouso e a um primeiro contacto com a flora da ilha, tanto exótica como indígena.

Situé au centre de la ville, le Jardin Municipal offre une halte reposante et agréable, permettant un premier contact avec la flore de Madère.

The Municipal Garden in the centre of the town invites you to have a rest and to make a first contact with the trees, bushes and flowers seen in such abundance all over the town.

Im Zentrum von Funchal lädt der Stadtgarten den Besucher zu einer kleinen Pause ein, um die Pracht seiner Bäume, Sträucher und Blumen, teils einheimisch teils eingeführt, zu bewundern.

QUINTA MAGNÓLIA

Um dos mais bonitos jardins públicos do Funchal, a Quinta Magnólia possui instalações magníficas para a prática de diversos desportos, como a natação, o ténis, o "squash" e o mini-golfe.

Un des plus beaux jardins publiques de Funchal, la Quinta Magnólia possède des installations magnifiques pour la pratique de plusieurs sports: natation, tennis, squash et mini-golf.

One of the most beautiful gardens in Funchal, the Quinta Magnólia offers several sports facilities, such as tennis, squash, swimming, etc., and possesses a 9-hole golf course.

Einer der schönsten Gärten Funchals, mit Tennisplätzen, Schwimmbassin, Squash und einem 9-Löcher Golfspielplatz.

A catedral. ▷

La cathédrale.

The cathedral.

Der Dom.

A catedral   La cathédrale   The cathedral   Der Dom ▷

A sé do Funchal, em que predomina o estilo gótico, foi mandada construir por D. Manuel I, no séc. XVI. No interior, destacam-se a capela mor e a do Santíssimo, bem como o tecto, todo em estilo mudéjar. No exterior, a cantaria da parte central das traseiras é de grande beleza.

La cathédrale de Funchal a été batie au 16e siècle, par ordre du roi Emmanuel Ier. Dans son intérieur, se détachent le choeur, la chapelle du Saint Sacrement et le plafond, celui-ci de style Mudejar. À l'extérieur, la partie centrale de l'arrière-corps mérite une certaine attention.

The cathedral of Funchal was built in the 16th century by order of king Emmanuel I and in its architecture the Gotic style prevails.
In the interior, the Mudejar ceiling, the chancel and the chapel of the Blessed Sacrament deserve special attention. Outside, the whole stone work of the back part of the temple is of extraordinary beauty.

Der Dom wurde im 16. Jahrhundert von König Emanuel I gebaut und in seiner Architektur herrscht der Gotische Stil vor.
Der Hochaltar, die Kapelle des Allerheiligsten und das Maurische Dach im Innern, sowie die schöne Steinhauerkunst der äusseren Rückseite, sollte man jedenfalls besonders beachten.

CASTELO DO PICO

Fortaleza do séc. XVIII, sobranceira à cidade.

Une forteresse du 17ᵉ siècle dominant toute la ville.

A fortress of the 17th century overlooking the whole town.

Eine aus dem 17. Jahrhundert stammende Festung von wo man das herrlichste Panorama Funchals überblicken kann.

ZONA VELHA DA CIDADE

Situada um pouco a leste do actual centro, a Zona Velha é hoje um importante polo turístico.

Le vieux quartier de Funchal est aujourd'hui un important pôle touristique.

The old quarter of the town is nowadays of very special touristic attraction.

Die Altstadt Funchals ist jetzt zu einem kleinen Touristenzentrum geworden.

MERCADO DOS LAVRADORES

Exóticas flores, frutos tropicais e estranhos peixes são fortes razões para uma visita ao mercado do Funchal.

Les fleurs exotiques, les fruits tropicaux et les poissons rares sont les motifs importants pour une indispensable visite au marché de Funchal.

Exotic flowers, tropical fruits and extravagant fishes, largely from great depths, are a good reason to pay a visit to the town market.

Exotische Blumen, tropische Früchte und aussergewöhnliche Fische, zu grossem Teil aus erstaunlichen Tiefen, sind ein guter Grund dem Stadtmarkt einen Besuch abzustatten.

Um aspecto do monumento ao Infante D. Henrique, o grande promotor dos descobrimentos portugueses. Em Baixo: o Turismo.

Une vue du monument au Prince Henri, le grand promoteur des découvertes maritimes portugaises. Ci-dessous: le Tourisme.

A back view of the monument of Prince Henry the Navigator, the great Portuguese discoverer. Below: the Tourist Bureau.

Denkmal von Prinz Heinrich dem Seefahrer, wem Portugal den Anfang der Portugiesischen Entdeckungen verdankt. Unten: Das Verkehrsamt.

PARQUE DE SANTA CATARINA

Lindo jardim, muito próximo do centro e com ampla vista sobre a cidade e o porto.
À direita:
O Semeador.

C'est un plaisir se promener dans ces jardins, situés près du centre et avec une vue magnifique sur la ville et le port.
En face:
Le Semeur.

A visit to these gardens, situated very near the centre, is a must. Magnificent views over the town and the harbour.
Opposite:
The Sower.

Nicht weit vom Zentrum liegt dieser Garten, auch Stadtpark genannt. Herrliche Aussicht über die Stadt und den Hafen.
Rechts:
Der Sämann.

Com cerca de 100.000 habitantes, o Funchal estende-se por um largo anfiteatro, subindo até quase às montanhas.

Avec une population de 100.000 habitants environ, Funchal occupe un large amphithéâtre, montant presque jusqu'aux montagnes.

With a population of about 100,000 inhabitants, Funchal covers a large amphitheatre and climbs almost to the top of the nearby mountains.

Mit ungefähr 100.000 Einwohnern, breitet sich Funchal über ein grosses Amphitheater aus und klettert fast bis zu den Gipfeln der in der Nähe gelegenen Berge hinauf.

◁ A Câmara Municipal e a Igreja do Colégio.

La Mairie et l'Église du «Colégio».

The Town Hall and the ''Colégio'' Church.

Das Rathaus und die ''Colégio''-Kirche.

Vista lateral da Assembleia Regional, a ▷
estátua de João Gonçalves Zarco e o lago
da Praça do Infante.

Vue latérale de l'Assemblée Régionale, la
statue de João Gonçalves Zarco et le bassin
au centre de la place du Prince Henri.

Side view of the seat of the local Assembly,
the statue of João Gonçalves Zarco and the
fountain in the centre of the Prince Henry
Square.

Seitenansicht des örtlichen Parlamentes, das
Denkmal des Entdeckers der Insel und der
Brunnen in der Rotunde Prinz Heinrichs.

Dois aspectos do Palácio de São Lourenço. À direita, o Castelo do Pico visto da Marina (ver pág. 25).

Le Palais de Saint-Laurent. À droite, la Marine et en haut le Castelo do Pico (voir page 25).

The Palace of St. Lawrence. On the right, the Castelo do Pico, as seen from the Marina (see page 25).

Der Palácio de São Lourenço. Rechts, das Castelo do Pico (s.S. 25) und im Vordergrund die Marina.

No Jardim Botânico podem ver-se muitas plantas endémicas da ilha. Mesmo ao lado, funciona o Jardim dos Loiros, com uma rica colecção de aves exóticas. Duas visitas que se impõem.

Au Jardin Botanique on peut voir une partie de la flore autochtone. Tout à côté, le Jardin des Perroquets, avec une large collection d'oiseaux exotiques.

In the Botanical Garden a large number of trees, shrubs and herbaceous plants, both introduced and indigenous, can be seen. In the attached Zoo, a quantity of gorgeously coloured parrots and other tropical birds are displayed in roomy aviaries.

In dem Botanischen Garten eine grosse Anzahl von Bäumen, Sträuchern und Kräutern, sowohl eingeführt als auch einheimisch sind sehenswert. Direkt neben dem Garten befindet sich der Zoo, wo eine Anzahl von prachtvollen Papageien und andere tropische Vögel in Käfigen geräumiger Dimensionen zu bewundern sind. Ein Besuch beider lohnt sich bestimmt.

MONTE

Freguesia dos arredores do Funchal, já a meia encosta. Na igreja paroquial, rodeada por um fresco parque, pode ver-se o túmulo do Imperador Carlos de Austria, aqui falecido no exílio em 1922.

Monte est une petite paroisse, à 6 km de Funchal et à 550 m d'altitude. Dans son église, entourée d'un beau jardin, se trouve le tombeau de l'empereur Charles d'Autriche, décédé ici dans l'année 1922 pendant son exil à Madère.

Monte is a small parish situated in the suburbs of Funchal, at an altitude of about 550 m. The local church, surrounded by a lovely park, contains the tomb of the emperor Charles of Austria, who died here in exile in 1922.

Nördlich von Funchal liegt der kleine Ort Monte. In der Pfarrkirche befindet sich das Grabmal Kaiser Karls von Österreich, hier im Jahre 1922 gestorben.

TERREIRO DA LUTA

Fica este lugar a cerca de 3 km acima do Monte e a 876 m de altitude. Além de magníficos panoramas sobre o Funchal, ali se pode admirar o monumento a Nª Sª da Paz.

Cet endroit, situé à 3 km au-dessus de Monte et à 876 m d'altitude, avec le monument à Notre-Dame de la Paix, vous offre un beau panorama sur Funchal.

Terreiro da Luta, about 3 km after passing Monte and at an altitude of 876 m, offers magnificent views over Funchal. The monument is dedicated to Our Lady of Peace.

Terreiro da Luta liegt etwa 3 km von Monte entfernt und beinah 900 m über dem Meeresspiegel. Das dortige Denkmal ist der Hlg. Jungfrau des Friedens gewidmet. Von dort ein herrliches Panorama über ganz Funchal.

FUNCHAL

A residência oficial do Presidente do Governo Regional, o Casino e o Casino Park Hotel.

La résidence officielle du Président du Gouvernement de Madère, le Casino et l'Hôtel Casino Park.

The official residence of the President of the local government, the Casino and the Casino Park Hotel.

Der offizielle Wohnsitz des Präsidenten der örtlichen Regierung, das Kasino und das Casino Park Hotel.

▽

FUNCHAL

O Lido   Le Lido   The Lido   Der Lido

FUNCHAL

Dois aspectos da cidade.

Deux aspects de la ville.

Two views of the town.

Zwei Aussichten über die Stadt.

FUNCHAL

Grandiosos panoramas sobre a cidade e as montanhas, a partir do Pico dos Barcelos, miradouro situado a 335 m de altitude.

À partir du Pico dos Barcelos, situé à 335 m au-dessus du niveau de la mer, l'on peut jouir de magnifiques panoramas sur la ville et les montagnes.

Superb views over the town and the mountains can be enjoyed from Pico dos Barcelos, a vantage point at an altitude of 335 metres.

Vom Pico dos Barcelos, in einer Höhe von 335 m, geniesst man eine herrliche Aussicht auf die Stadt und die Berge.

◁ FUNCHAL

A residência oficial do Presidente do Governo Regional e, em baixo, a Assembleia Regional e o monumento ao Emigrante Madeirense.

Résidence officielle du Président du Gouvernement local.
En bas: l'Assemblée Régionale et le Monument à l'Émigrant de Madère.

The official residence of the President of the local government.
Below: The local Assembly and the monument in honour of the Madeiran Emigrant.

Der offizielle Wohnsitz des Präsidenten der Regierung von Madeira.
Unten: Das Parlament und das dem Emigranten Madeiras gewidmete Denkmal.

CÂMARA DE LOBOS ▷

Diversos aspectos de Câmara de Lobos, importante vila de pescadores, 9 km a poente do Funchal.

Quelques vues de Câmara de Lobos, important centre de pêche, situé 9 km à l'ouest de Funchal.

Some views of Câmara de Lobos, important fishing village situated 9 km to the west of Funchal.

Einige Sehenswürdigkeiten von Câmara de Lobos, wichtiges Fischerdorf, 9 km westlich von Funchal entfernt.

49

CÂMARA DE LOBOS

Durante a sua visita à Madeira em 1950, Sir Winston Churchill não resistiu à tentação de transferir para a tela os encantos deste pequeno porto de pesca.

Pendant son séjour à Madère en 1950, Sir Winston Churchill n'a pu résister à la tentation de dépeindre sur la toile toute la séduction de ce petit port de pêche.

During his stay in Madeira in 1950, Sir Winston Churchill could not resist the charms of this little harbour and made a painting here.

Als Winston Churchill im Jahre 1950 Madeira besuchte malte er den idyllischen Hafen dieses kleinen Fischerdorfs.

Papaias

CÂMARA DE LOBOS

Além de ser um importante porto de pesca, Câmara de Lobos produz vinho e bananas em abundância. À direita, em cima, as típicas «espetadas» madeirenses. Em baixo, plantações de bananeiras.

Important port de pêche, Câmara de Lobos est aussi grand producteur de vin et de bananes. À droite, en haut, les brochettes typiques de Madère. En bas, des plantations de bananiers.

Câmara de Lobos is not only an important fishing village. Wine and bananas are produced in large quantities on the upper slopes. On the right, above, the typical Madeiran ''espetadas'' (beef on a laurel skewer). Below, banana plantations.

Câmara de Lobos ist nicht nur ein wichtiges Fischereizentrum, denn auch Wein und Bananen werden in grosser Quantität dort erzeugt. Rechts oben: die typischen «Espetadas». Unten: Bananenplantagen am Ufer der Ribeira dos Socorridos.

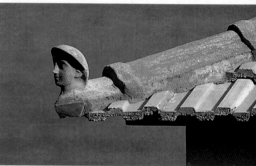

CÂMARA DE LOBOS

Nestas duas fotografias aparece em último plano o Cabo Girão, o qual com os seus 580 metros de altura se classifica entre os promontórios mais altos do mundo. Na foto da direita, a aspereza da costa ilustra bem a origem vulcânica da Madeira.

Avec ses 580 m de hauteur, le Cap Girão, au dernier plan sur ces deux photos, est l'un des plus hauts promontoires du monde. À droite, la rugosité de la côte illustre bien l'origine volcanique de Madère.

These two photographs show Cape Girão in the background. Towering 580 m above the sea level it is one of the world's highest capes. The ruggedness of the shore line at right illustrates well the volcanic origin of the island.

Auf diesen zwei Aufnahmen sieht man Kap Girão im Hintergrund. Mit einer Höhe von 580 m ist es eines der höchsten Kaps der Erde. Die Rauheit der Küste, rechts, ist ein Beispiel des vulkanischen Ursprungs Madeiras.

CÂMARA DE LOBOS

Do miradouro do Cabo Girão, desfruta-se este magnífico panorama sobre Câmara de Lobos e, lá mais ao longe, o Funchal.
À direita, vista para o interior, a partir do ponto mais alto do Cabo Girão.

Au Cap Girão, la vue s'étend sur Câmara de Lobos et Funchal.
À droite, une vue sur l'intérieur, en direction nord.

Wonderful panoramas can be enjoyed from Cape Girão towards Câmara de Lobos and Funchal (above) and to the interior of the island (at right).

Von Kap Girão aus geniesst man einen herrlichen Blick auf Câmara de Lobos und Funchal (oben) und auch in Richtung Nord (rechts).

CAMPANÁRIO

Seis km depois de passar o Cabo Girão, encontra-se esta freguesia, pertencente ao concelho da Ribeira Brava. Vasto panorama e no centro, a 300 m de altitude, a moderna igreja, inaugurada em 1963.

Six km après le Cap Girão se trouve ce village, de la commune de Ribeira Brava. L'église moderne, inaugurée en 1963, se trouve au centre d'un vaste amphithéâtre, 300 m au-dessus de la mer.

Situated 6 km beyond Cape Girão, this village belongs to the district of Ribeira Brava. The modern church, inaugurated in 1963, rises at the centre of a magnificent amphitheatre, 300 m above sea level.

Dieser Ort liegt 6 km nach Kap Girão und gehört zum Bezirk Ribeira Brava. Die moderne Kirche, im Zentrum des schönen Amphitheaters, wurde 1963 eingeweiht.

RIBEIRA BRAVA

Situada à beira-mar, na foz do curso de água que lhe dá o nome, a vila da Ribeira Brava convida-nos a uma paragem. Dispõe de boas esplanadas e de um moderno hotel. Na igreja local, do Séc. XVI, podem admirar-se alguns valiosos quadros.

Situé au bord de la mer, dans l'embouchure de la rivière qui lui donne son nom, ce village nous invite à un arrêt avec ses esplanades agréables et son hôtel confortable. Dans l'église paroissiale, du XVIe siècle, on peut admirer quelques tableaux de grande valeur.

Situated by the sea, at the mouth of the river of the same name, this village invites you at once for a relaxing stop. There are good esplanades and a very modern hotel. The local church, built during the 16th century, contains some valuable paintings.

Ribeira Brava, am Meer, bei der Mündung des Flusses gleichen Namens gelegen lädt uns mit seinen Esplanaden und seinem gut gelegenen Hotel zu einem Halt ein. Die Parochialkirche des XVI. Jahrhunderts enthält Gemälde grossen Werts.

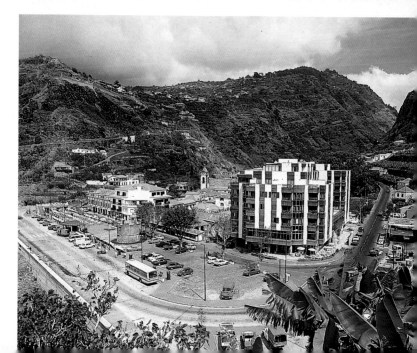

RIBEIRA BRAVA

A partir da Ribeira Brava, pode optar-se por continuar a viagem para oeste, passando pela Ponta do Sol, ou para norte, pela Serra de Água e Encumeada, em direcção a São Vicente.

À Ribeira Brava le choix entre deux directions s'offre à vous: côte ouest vers Ponta do Sol ou côte nord en montant la vallée qui passe par Serra de Água, Encumeada et São Vicente.

After passing Ribeira Brava, we can continue our trip either westwards, through Ponta do Sol, or to the north, climbing the valley by Serra de Água up to Encumeada, at 1,000 m, and then driving down to São Vicente.

Von Ribeira Brava aus können Sie in westlicher Richtung nach Ponta to Sol weiterfahren, oder, nördlich des Flussbettes und Serra de Água entlang bis Encumeada, in 1.000 m Höhe, und hinunter nach São Vicente.

SERRA DE ÁGUA

Freguesia a 7 km da Ribeira Brava e a 350 m de altitude. Até aqui a estrada segue o leito da ribeira, onde abundam os elegantes salgueiros chorões.

Hameau situé à 7 km au nord de Ribeira Brava, à une altitude de 350 m. Jusqu'ici, la route accompagne la rivière, où abondent les saules pleureurs.

Serra de Água is situated at an altitude of 350 m, 7 km north of Ribeira Brava. Up to here, the road follows by the river, where the beautiful weeping willows grow in abundance.

Serra de Água liegt nördlich von Ribeira Brava, 350 m über dem Meeresspiegel. Bis hier geht der Weg dem Flussbett mit seinen üppigen Trauerweiden, entlang.

SERRA DE ÁGUA

Em baixo, duas vistas interiores, do vale que da Ribeira Brava sobe até à Encumeada. À esquerda, flores e mais flores honram os que já partiram.

Ci-dessous, deux aspects de la vallée qui monte de Ribeira Brava à Encumeada. À gauche, des fleurs par milliers rendent hommage à ceux qui sont partis.

Below, two views of the valley, on climbing from Ribeira Brava to Encumeada. On the left, flowers by the thousands honour those who have already passed away.

Unten, zwei Aspekte über das Tal von Ribeira Brava nach Encumeada. Links, Tausende von Blüten huldigen die Schon Verstorbenen.

SERRA DE ÁGUA

A pousada dos Vinháticos, na foto do centro, à esquerda, fica a 660 m de altitude, na estrada da Ribeira Brava para a Encumeada.
Óptima base para inesquecíveis passeios a pé.

La Pousada dos Vinháticos — photo du centre, à gauche — est une auberge à 660 m d'altitude, au bord de la route de Ribeira Brava à Encumeada.
Halte idéale pour d'inoubliables promenades à pied.

The Pousada dos Vinháticos, in the central photo, at left, is an inn situated in 660 m altitude, by the road from Ribeira Brava to Encumeada.
The perfect lodging for several unforgettable walks.

Die Pousada dos Vinháticos (Aufnahme im Zentrum, links) ist eine sehr gute Herberge, die in 660 m Höhe, an der Strasse von Ribeira Brava nach Encumeada liegt. Der ideale Ausgangspunkt für unvergessliche Ausflüge.

ENCUMEADA

Altitude:
1.007 m

O acesso ao miradouro faz-se pelo lado norte, à esquerda. Grandiosos panoramas em toda a volta.

L'accès au mirador se fait par le côté nord, à gauche. Paysages incomparables tout autour.

The access to the belvedere is by the north side, at left. Wonderful panoramas all around.

Höhe 1.007 m über dem Meeresspiegel. Der Aufstieg zum Aussichtspunkt ist an der Nordseite, links. Herrlichen Blicke rund herum.

SERRA DE ▷
ÁGUA

TABUA, LUGAR DE BAIXO

Duas pequenas localidades à beira-mar, logo depois da Ribeira-Brava. Em estufas do Governo Regional, desenvolve-se aqui a cultura de espécies floríferas tradicionais (orquídeas, antúrios, estrelícias e outras), para apoio aos floricultores madeirenses.

Deux petits hameaux en bord de mer et à l'ouest de Ribeira Brava. Dans les serres du Gouvernement on développe la culture des plantes à fleurs traditionelles de Madère, comme les orchidées, les anthuriums, les oiseaux du paradis, etc., pour appuyer toute la floriculture de l'île.

Two small villages by the sea, about 2 km after passing Ribeira Brava. In government-owned greenhouses, to assist flower growers of the island, experts improve the culture of flowers, such as Orchids, Bird of Paradise Flowers, etc., traditionally grown in the island.

Um die Blumenzüchter zu unterstützen, verbessern erfahrene Experten die Qualität der auf der Insel traditionell gezüchteten Orchideen, Flamingoblumen, Strelitzien, etc., in der Regierung gehörenden Treibhäusern.

PONTA DO SOL

Localidade situada à beira-mar. Fundada cerca de 1450 e elevada a vila em 1501. A principal actividade é a agricultura (cana de açúcar, banana e vinha).

Localité située au bord de la mer. Fondée vers 1450 et devenue centre administratif en 1501. L'activité principale est la culture de la vigne, la canne à sucre et les bananes.

Village situated by the sea. Founded around 1450 and raised to ''vila'' (a small town) in 1501. The main activity is the production of sugar cane, bananas and wine.

Ponta do Sol liegt am Meer. Wurde circa 1450 gegründet und zu ''vila'' (einer kleinen Stadt) im Jahr 1501 erhoben. Haupt-Aktivität: Anbau von Zuckerrohr, Bananen und Weinreben.

◁ MADALENA DO MAR

CANHAS △

PAUL DA SERRA

Proximidades deste planalto, situado a 1.500 metros de altitude. Locais próximos que merecem ser visitados são: Fanal, Rabaçal, Estanquinhos e Bica da Cana.

Proximités de ce plateau, situé à 1 500 m d'altitude. Plusieurs promenades vous sont conseillées: Fanal, Rabaçal, Estanquinhos et Bica da Cana.

Sites near by this plateau, situated at 1,500 m altitude. A great number of walks in the neighbourhood are to be recommended, such as the Fanal, Rabaçal, Estanquinhos and Bica da Cana.

Dem Plateau von 1.500 m Höhe nahe gelegene Gegenden. Eine Menge von Ausflügen in der Nachbarschaft sind empfehlenswert, wie z.B. der Fanal, Rabaçal, Estanquinhos und Bica da Cana.

◁ RABAÇAL

ARCO DA CALHETA

A igreja paroquial e em baixo uma vista geral.

L'église paroissiale et en bas une vue générale.

The parish church and below a general view.

Die Pfarrkirche. Unten: Allgemeine Aussicht.

ARCO DA CALHETA

Ao Sítio do Loreto, ergue-se a Capela de Nossa Senhora do Loreto, cujo tecto (foto de baixo) é em estilo Mudéjar.

On peut visiter ici la Chapelle de Notre Dame du Loreto. Le plafond de cette chapelle (photo inférieure) est en style Mudéjar.

In this area stands the Chapel of Our Lady of Loreto, the ceiling of which (photo below) is in arabic style.

Hier befindet sich die Kapelle der Hlg. Jungfrau von Loreto, mit einer Decke (Aufnahme unten) in arabischem Stil.

CALHETA

Diversos aspectos.

Quelques vues.

Some views.

Einige Ansichten.

ESTREITO DA CALHETA

À esquerda, a igreja paroquial, onde se pode admirar uma bela imagem da sua padroeira, Nossa Senhora da Graça. Em baixo, uma vista geral.

À gauche, l'église paroissiale, où l'on peut voir une belle image de sa protectrice, Notre Dame de la Grâce. Dessous: une vue générale.

On the left, the parish church, where the beautiful image of Our Lady of Grace, her patron, can be seen.
Below, a general view.

Links, die Pfarrkirche, wo ein schönes Bild der Hlg. Jungfrau da Graça zu sehen ist. Unten, allgemeiner Ausblick.

JARDIM DO MAR

Pequena freguesia situada à beira-mar, entre o Estreito da Calheta e o Paul do Mar. A igreja local, em estilo Gótico, foi benzida em 1907 e é dedicada a Nossa Senhora do Rosário.

Jardim do Mar est une petite paroisse située au bord de la mer, entre Estreito da Calheta et Paul do Mar. L'église, en style Gotique, est dédiée à Notre Dame du Rosaire et a été bénite en 1907.

Jardim do Mar is a small parish situated by the sea, between Estreito da Calheta and Paul do Mar. The church, built in Gothic style and devoted to Our Lady of the Rosary, has been consecrated in 1907.

Jardim do Mar ist eine kleine Gemeinde die am Meer liegt, zwischen Estreito da Calheta und Paul do Mar.
Die Kirche, in gotischem Stil gebaut, wurde 1907 gesegnet und der Hlg. Jungfrau des Rosenkranzes gewidmet.

PAUL DO MAR

Situa-se esta freguesia à beira-mar, sendo um dos principais centros de pesca da Madeira.

Village situé au bord de la mer, Paul do Mar est un des plus importants centres de pêche à Madère.

Seaside village and one of the main fishing centres in Madeira.

Am Meer gelegen, Paul do Mar ist eins der wichtigsten Fischerei Zentren Madeiras.

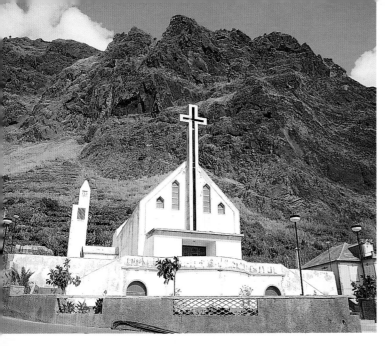

◁ FAJÃ DA OVELHA

▽ PONTA DO PARGO

Esta é a localidade que se situa no extremo ocidental da Ilha. A agricultura é a principal actividade.

Ponta do Pargo est le village situé à l'extrémité occidentale de Madère. La principale occupation de ses habitants est l'agriculture.

This village is situated on the westernmost point of the island. Agriculture is the main activity.

Ponta do Pargo liegt am westlichsten Ende der Insel. Landwirtschaft ist die wichtigste Beschäftigung der Einwohner dieses Dorfes.

PORTO DO MONIZ

Povoação situada no extremo noroeste da Madeira, sendo um dos locais da Ilha mais visitados, devido em especial às suas curiosas piscinas naturais, formadas pelas correntes de lava que emergem das águas do mar.
Na Santa, um lugar próximo, realiza-se todos os anos, em Agosto, uma concorrida feira de gado.

Village situé à l'extreme nord-ouest de l'île, Porto do Moniz est un des endroits de Madère les plus visités en partie à cause de ses curieuses piscines naturelles formées par les coulées de lave qui émergent des eaux. À Santa se réalise chaque année au mois d'Août une importante foire au bétail.

Porto do Moniz, situated at the north-western end of the island, is one of the places in Madeira most visited by the tourist. This is partly due to the natural swimming pools, formed by the crest-like lava flows, which rise from the sea. An important cattle fair, which takes place every year in August, also attracts many people.

Eine kleine Stadt, in dem nord-westlichen Ende der Insel gelegen, ist ihrer natürlicher Schwimmbecken wegen der grösste Anziehungspunkt der Touristen Madeiras. Jedes Jahr im August findet dort ein grosser Viehmarkt statt.

SÃO VICENTE

À esquerda, a Ribeira do Inferno perto da sua foz, na costa norte da Ilha.

À gauche, la Ribeira do Inferno («Rivière de l'Enfer») près de son embouchure, sur la côte nord de Madère.

On the left, the Ribeira do Inferno (''Brook of Hell'') near its mouth, on the north coast of Madeira.

Links, die Ribeira do Inferno («Strom der Hölle») in der Nähe seiner Mündung, an der Nordküste Madeiras.

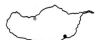

SÃO VICENTE

Outros dois aspectos da costa norte, perto de São Vicente.

Deux autres vues de la côte nord, près de São Vicente.

Two other views of the north coast, near São Vicente.

Noch zwei Aussichten der Nordküste, in der Nähe von São Vicente.

SÃO VICENTE

SÃO VICENTE

Algumas vistas de São Vicente, a vila mais importante da costa norte da Madeira.

Quelques vues de São Vicente, le village le plus important de la côte nord de Madère.

Some views of São Vicente, the most important village on the north coast of Madeira.

Einige Aussichten von São Vicente, die wichtigste Kleinstadt an der Nordküste der Insel.

◁ SÃO VICENTE

PONTA DELGADA △

PONTA DELGADA

Vista para oeste.

Vue en direction de l'ouest.

View in western direction.

Ansicht nach Westen.

A antiga capela dos Reis Magos.

La vieille chapelle des Rois Mages.

The old chapel of the Three Wise Men.

Die alte Kapelle der Heiligen Drei Könige.

PONTA DELGADA

Vista para leste.

Vue en direction de l'est.

View in eastern direction.

Aussicht nach Osten.

Em baixo, a igreja paroquial, dedicada ao Bom Jesus, é o centro duma concorrida peregrinação anual no primeiro Domingo de Setembro.

À droite, l'église paroissiale, consacrée au Bon Jesus, devient le centre d'une importante pérégrination annuelle, le premier dimanche de Septembre.

The parish church, dedicated to the Good Jesus, is the centre of an annual pilgrimage, on the first Sunday of September.

Die Pfarrkirche, dem Guten Jesus gewidmet, ist der Mittelpunkt einer grossen Pilgerfahrt, jedes Jahr am ersten Sonntag im September.

BOAVENTURA

FAJÃ DO PENEDO

ARCO DE S. JORGE

SÃO JORGE

Restaurante à beira da estrada.

Restaurant au bord de la route.

Roadside restaurant.

Restaurant an der Strasse.

SANTANA

Aspecto da costa próximo de Santana.

Vue de la côte près de Santana.

View of the coast near Santana.

Die Küste in der Nähe von Santana.

SANTANA

À esquerda: a igreja paroquial. À direita: a Câmara Municipal, casas típicas, espigas de milho, a Face, o Homem em Pé e urzes arbóreas na Achada do Teixeira.

À gauche: l'église paroissiale. À droite: la mairie, maisons typiques, épis de maïs, la Face, l'Homme Debout et Bruyères arborescentes à Achada do Teixeira.

At left: the parish church. At right: the town hall, typical houses, maize ears, the Face, the Standing Man and tree heaths at Achada do Teixeira.

Links: Die Pfarrkirche. Rechts: das Rathaus, typische Häuser, Mais-Kolben, das Gesicht, der Stehender Mann und Baumheiden auf Achada do Teixeira.

FAIAL

Povoação cujo nome deriva de Faia (Myrica faya), arbusto ou árvore abundante localmente. A antiga ponte sobre a Ribeira da Metade, construída entre 1907 e 1910, ruiu nos anos 80. Ao lado do que dela resta, outra ponte bem moderna serve agora esta movimentada região.

Village dont le nom vient de «faia», le Myrte des Açores (Myrica faya), arbrisseau ou arbre abondant à Madère. Le vieux pont, bâti entre 1907 et 1910, s'écroula aux années 80. À côté de ses ruines, un autre pont plus moderne dessert cette région.

The name of this village comes from «Faia», the Portuguese for Wax Myrtle (Myrica faya), which is abundant in the island. The old bridge, built in 1907-1910, caved-in in the 80s. Near its remains a modern new one serves this beautiful area.

Der Name dieser Ortschaft stammt von «Faia», dem portugiesischen Namen für den Gagel oder Wachsmyrte (Myrica faya), die in Madeira sehr häufig ist. Die alte Brücke, 1907-1910 gebaut, stürzte in den 80er Jahren ein. Neben ihren Ruinen wurde eine moderne Brücke gebaut.

109

 SÃO ROQUE DO FAIAL

PORTO DA CRUZ

Situa-se esta freguesia à beira-mar e pertence ao concelho de Machico. Em baixo, à direita, a imponente Penha de Águia, uma rocha com 590 metros de altura, que separa o Porto da Cruz do Faial. Das suas alturas descortinam-se lindos panoramas.

Ce village est situé au bord de la mer et appartient à la commune de Machico. En bas, à droite, une vue de la Penha de Águia, imposant rocher séparant Porto da Cruz de Faial. De ses hauteurs, à 590 mètres, l'on découvre de beaux panoramas.

Porto da Cruz is situated by the sea and belongs to Machico. Below, on the right, a view of the majestic Penha de Águia, an imposing rock which separates this village from Faial. From its top, at 590 m, the most beautiful panoramas can be enjoyed.

Porto da Cruz liegt am Meer und gehört zu Machico. Unten rechts, die Penha de Águia, ein imponenter Fels der Porto da Cruz von Faial trennt. Von seinem höchsten Punkt, 590 m hoch, geniesst man einen herrlichen Rundblick.

PORTO DA CRUZ

PORTELA

A Portela é um local de paragem quase obrigatória. Situada a 620 metros de altitude, na crista dos montes que separam o Porto da Cruz de Machico, daqui se desfrutam soberbas vistas, tanto sobre a Penha de Águia e os vales que a circundam, como em direcção aos altos picos do centro da Ilha.

Portela est un magnifique point d'arrêt. Ici, à 620 m d'altitude et près du sommet des montagnes qui séparent Porto da Cruz de Machico, on peut jouir des vues grandioses, tant sur Penha de Águia et les vallées environnantes, qu'en direction des hauts sommets du centre de l'île.

Portela is a magnificent place for a stop. From here, at 620 m altitude and near the summit of the hills separating Porto da Cruz from Machico, one can enjoy wonderful views over Penha de Águia, Porto da Cruz and Faial, as well as in the direction of the highest peaks in the centre of the island.

Portela ist ein herrlicher Platz für einen Halt. Von hier, in einer Höhe von 620 m und nahe dem Gipfel der Berge, die Porto da Cruz von Machico trennen, können Sie wundervolle Aussichten über Penha de Águia, Porto da Cruz und Faial, wie auch in der Richtung der höchsten Gipfel inmitten der Insel geniessen.

115

SANTO DA SERRA

Localidade situada a 675 m de altitude, numa zona bastante arborizada e de belas paisagens. Aqui se encontra o melhor campo de golfe da Madeira. De recomendar, uma visita aos jardins ainda hoje conhecidos como a «Quinta da Junta».

Village situé à 675 m d'altitude, sur une zone très arborisée et aux beaux paysages. Ici se trouve le meilleur terrain de golf de Madère. Une visite aux beaux jardins connus par «Quinta da Junta» est recommandée.

Santo da Serra is a small village at 675 m above sea-level, on a very wooded area and offering wonderful landscapes. At present the best golf-course in Madeira is here. Strongly recommended is a visit to the public gardens known as «Quinta da Junta».

Santo da Serra ist eine kleine Gemeinde, die 675 m über dem Meeresspiegel auf einer stark bewaldeten, mit grossartigen Aussichten versehenen Zone liegt. Zur Zeit der beste Golfplatz Madeiras liegt hier. Ein Besuch der Gärten, noch unter dem Namen «Quinta da Junta» bekannt, ist sehr zu empfehlen.

CANIÇAL

Vila piscatória.

Village de pêcheurs.

Fishing village.

Fischerdorf.

MACHICO

Em cima, a igreja paroquial. Templo do séc. XV de muito interessante arquitectura.

En haut, l'église paroissiale, du XVe siècle, aux très belles lignes.

The parish church above, built during the 15th century in very beautiful style.

Oben, die schöne Pfarrkirche, im XV. Jahrhundert gebaut.

MACHICO

Além de activo porto de pesca, Machico é também uma atraente estância turística. Maravilhosos panoramas do Miradouro do Camões Pequeno e do alto do Pico do Facho. Recomenda-se uma visita à Capela de São Roque, pelas suas valiosas pinturas do séc. XVI, em azulejos vidrados, que nos mostram a vida daquele santo.

Village de pêcheurs, Machico est aussi très apprecié comme lieu de tourisme. Des panoramas merveilleux dès le belvédère du Camões Pequeno et le Pico do Facho. Digne d'une visite, la chapelle de São Roque, par ses peintures sur des carreaux vernissés du XVIe siècle, qui nous montrent la vie du saint.

Besides being a very busy fishing harbour, Machico is also an important touristic centre. Wonderful landscapes can be enjoyed from the belvedere of Camões Pequeno and from the top of Pico do Facho. A visit to the São Roque Chapel is recommended, owing to the valuable paintings of the 16th century, on glazed tiles, showing the life of that saint.

Machico ist sowohl ein lebhaftes Fischerdorf, wie auch ein schönes Touristenzentrum. Herrliche Landschaften von dem Aussichtspunkt von Camões Pequeno und vom Pico do Facho. Erwähnenswert ist auch die Kapelle von São Roque, durch ihre wertvollen Malereien auf glasierten Kacheln, die das Leben des Heiligen darlegen.

Preparando o vime para o fabrico de cestos, cadeiras, etc. Depois de cozido, o descasque é mais fácil.

Préparation de l'osier pour la vannerie. Après la cuisson, il se laisse peler plus facilement.

Preparing the willow for the basket industry. After being boiled, it peels very easily.

Die Weiden werden für die Korbindustrie vorbereitet. Nach dem Kochen, wird das Schälen leichter.

MACHICO

MATUR △

123

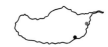

SANTA CRUZ

Santa Cruz é uma das mais antigas vilas da Madeira, pois a sua fundação remonta aos primeiros anos logo após a descoberta da Ilha. A igreja, do séc. XVI e a câmara municipal merecem uma visita. A pequena distância do centro, o aeroporto é o elo vital nas ligações da Madeira com o exterior.

Village fondé dans les premières années de la découverte de Madère. L'église, du XVIe siècle et l'hôtel de ville méritent une visite. Tout près, l'aéroport est le lien vital reliant Madère avec le monde.

Santa Cruz was founded in the very first years after the discovery of Madeira. The parish church, of the 16th century and the town hall deserve a visit. Very near, the airport is the vital link connecting Madeira with the world.

Während der ersten Jahre nach der Entdeckung, wurde Santa Cruz gegründet. Die Pfarrkirche, aus dem XVI. Jahrhundert und das Rathaus sind sehr besuchenswert. In der Nähe, der Flughafen macht die Verbindung der Insel mit der Welt.

125

CANIÇO

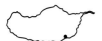

CANIÇO

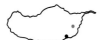

CAMACHA

Freguesia situada a 700 m de altitude e que
pertence ao concelho de Santa Cruz.
É o principal centro produtor de obra de vime.

Village situé à 700 m d'altitude et appartenant à la
commune de Santa Cruz. C'est le principal centre de
vannerie à Madère.

This village, situated at 700 m altitude, belongs to the district of Santa Cruz. It is the main
centre of the wicker-work industry in Madeira.

Camacha ist das wichtigste Zentrum der Korbflechtindustrie in Madeira. Es liegt 700 m hoch
und gehört zum Bezirk Santa Cruz.

◁ POISO (1.400 m)

PICO DO ARIEIRO (1.810 m) ▷

◁ Paisagem interior
próximo do Pico
do Arieiro.

Paysage intérieur
près du Pico do
Arieiro.

Interior landscape
near Pico do
Arieiro.

Innenlandschaft
in der Nähe von
Pico do Arieiro.

RIBEIRO FRIO ▷

Situado no interior da Ilha, a 800 m de altitude, o Ribeiro Frio é rodeado de luxuriante vegetação. Parque florestal e viveiro de trutas.

Ribeiro Frio est situé dans l'intérieur de Madère, à 800 m d'altitude et au milieu d'une végétation luxuriante. Parc forestier et élévage de truites.

Ribeiro Frio is situated at an altitude of 800 m, in the interior of Madeira and amid exhuberant vegetation. Forest garden and trout hatching.

Ribeiro Frio liegt im Innern der Insel, 800 m hoch. Üppige Vegetation. Forstgarten und Forellenzucht.

CRUZINHAS DO FAIAL

CURRAL DAS FREIRAS

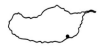

CURRAL
DAS
FREIRAS

Surpreendente
pormenor da
povoação e cenas
das tosquias.

Un détail étonnant
du village et deux
aspects de la
tondaison.

Astonishing detail
of the village and
scenes of sheep
shearing.

Erstaunliche
Einzelheit des
Ortes und Szenen
der Schur.

Interior da Madeira, na estrada para o Curral das Freiras.

Intérieur de Madère, sur la route en direction du Curral das Freiras.

Interior of Madeira, on the road to Curral das Freiras.

Innenansicht von Madeira, auf dem Weg nach Curral das Freiras.

FLORES

FLEURS

FLOWERS

BLUMEN

As fotografias e o texto que se seguem, daqui até à página 161, foram extraídos de «FLORES DA MADEIRA» pelo Eng. Rui Vieira, um livro que é propriedade do Editor.

Les photos et tout le texte qui les accompagne d'ici jusqu'à la page 161 sont du livre «FLEURS DE MADÈRE» par Rui Vieira, un livre dont les droits sont réservés à l'Éditeur.

All photographs and text from here to page 161 are taken from the book ''FLOWERS OF MADEIRA» by Rui Vieira, property of the Publisher.

Alle Aufnahmen und Text, von hier bis Seite 161, stammen aus dem Buch «BLUMEN MADEIRAS» von Rui Vieira. Alle Rechte vorbehalten.

Aeonium arboreum

Agapanthus africanus (=Agapanthus umbellatus)

A Madeira oferece ao Mundo científico e aos seus visitantes determinadas particularidades que fazem aumentar o interesse que a Ilha desperta em todo o nosso País e no Estrangeiro. Entre elas, avulta a sua vegetação, — riqueza ilimitada que o Homem já encontrou nos primeiros dias do povoamento e que, pouco a pouco, ele próprio foi também aumentando pela importação de novas espécies para seu regalo ou proveito.

Madère offre au monde scientifique et à leurs visiteurs certaines particularités qui ne font qu'augmenter l'intérêt général dans notre pays et à l'étranger. Parmi lesquelles, notamment sa végétation — richesse infinie que l'homme a trouvé dans les premiers jours de la découverte en y apportant peu à peu son appoint dans l'importation de nouvelles espèces pour son profit et son plaisir. La végétation naturelle

Agave attenuata

Aloe plicatilis

Scientifically Madeira has much to offer to the world abroad and to our country. Its vegetation takes a high rank amongst these things — a richness apparently without limit found by man already during the first days of the island's discovery, which man himself increased gradually through the introduction of new species either for ornamental or economic purposes.

Der Wissenschaft hat Madeira der Welt draussen und unserem Land viel zu bieten. Seine Vegetation steht unter diesen Dingen an hoher Stelle — ein Reichtum scheinbar ohne Grenze vom Menschen schon während der ersten Tage der Entdeckung der Insel gefunden und dann wiederum vom Menschen selbst allmählich vergrössert, durch Einführung neuer Arten für Gärten oder ökonomische Zwecke.
Die natürliche oder spontane

A vegetação natural ou espontânea, que constitui a verdadeira flora indígena, própria da Madeira, é muito diversificada, composta por mais de sete centenas de espécies de plantas superiores, que se distribuem por todas as altitudes, havendo espécies características das zonas litorais ou baixas (até 200-300 m), outras da meia-encosta, umas da montanha (entre 600 e 1300 m) e poucas das zonas mais elevadas.

ou spontanée, qui constitue la véritable flore indigène, originaire de Madère, est très diversifiée, comprenant plus de sept-cents espèces de plantes supérieures, distribuées dans toutes les altitudes; nous pouvons distinguer des espèces caractèristiques des zones litorales ou basses (jusqu'à 200-300 m), d'autres dans les versants à mi-chemin, d'autres dans les montagnes (entre 600 et 1 300 m) et quelques-unes dans les zones plus élevées. De tous les facteurs qui normalement

Brunfelsia calycina

Calodendrum capensis

The natural or spontaneous vegetation, i.e. the actual indigenous flora of Madeira, consists of many forms. In fact it is reckoned to consist of more than seven hundred species of higher plants distributed over all altitudes. There are the species characteristic of the littoral or lower zones (up to 200-300 m.), others of the higher slopes, with those of the mountains (between 600 and 1,300 m.) and a few species of the most elevated zones.

Vegetation, das heisst die einheimische Flora Madeiras, besteht aus vielen Formen. Man nimmt an, dass sie sich aus mehr als siebenhundert Arten höherer Pflanzen zusammensetzt, die sich über alle Höhen der Insel verbreiten. Zum Beispiel jene Arten, die für die Küsten- oder unteren Zonen (bis zu 200-300 m) charakteristisch sind, andere der höheren Abhänge der Berge (zwischen 600 und 1.300 m) und ein paar Arten der allerhöchsten Zonen.

Cassia didymobotrya

Cattleya hybr.

Cymbidium hybr.

142

De todos os factores que normalmente condicionam a vegetação natural —fisiográficos, climáticos e edáficos — parecem ser, na Madeira, de grande importância, além da temperatura e da pluviosidade, a topografia, o sistema de ventos e a humidade do ar, sobretudo por permitirem a formação de nuvens e, principalmente, de nevoeiros, que «alimentam» a mais importante parcela da flora madeirense.

É, de facto, na zona de montanha (entre os 600 e os 1300 m de altitude, na costa sul da Ilha), onde mais frequentemente se formam os nevoeiros, e onde o clima é ainda bastante temperado, que surge, em toda a sua pujança, a magnífica floresta típica da Madeira, a *Laurisilva.*

Cytisus scoparius

conditionnent la végétation naturelle — physiographiques, climatiques et édaphiques — sont, à Madère, d'une grande importance, à part sa température et sa pluviosité, la topographie, le système des vents et l'humidité de l'air, surtout pour permettre la formation des nuages et, principalement, des brouillards qui «alimentent» la plus importante partie de la flore de Madère.

En effet, c'est dans la zone montagneuse (entre 600 et 1 300 m d'altitude, dans la côte sud de l'île), où se forment plus fréquemment les brouillards et où le climat est encore assez tempéré, que surgit, dans toute sa splendeur, la magnifique forêt typique de Madère, la «*Laurisilva*».

Von allen Faktoren die ausser der Temperatur und dem Regen normalerweise die näturliche Vegetation beeinflussen — physiographisch, klimatisch und edaphisch — scheint in Madeira das Gelände, der Wind und der Feuchtigkeitsgehalt der Luft von grosser Wichtigkeit zu sein, ganz besonders weil diese Faktoren die Bildung von Wolken, besonders Nebel, beeinflussen, die den wichtigsten Teil von Madeiras Flora ''nähren''.

In der Tat ist es in der Bergzone (zwischen 600 und 1.300 m Höhe am südlichen Abhang der Insel) wo sich Nebel am häufigsten bildet und wo das Klima noch ziemlich gemässigt ist, dass die prächtigen typischen *Laurazeenwälder* Madeiras mit all ihrer Lebenskraft gedeihen.

Of all factors that apart from temperature and rain normally influence the natural vegetation — physiographic, climatic and edaphic — the topography, the winds and humidity of the air seem to be of great importance in Madeira, particularly so as these factors influence the formation of clouds, mainly mist, that ''feed'' the most important part of the flora of Madeira.

It is in fact, in the mountain zone (between 600 and 1,300 m. altitude on the southern slope of the island), where mist most frequently forms and where the climate still is rather temperate, that the magnificent typical *Laurel Woods* of Madeira flourish with all their vigour.

Dolichandrone platycalyx

Esta floresta que era abundante, também, noutras ilhas do Atlântico (as dos arquipélagos dos Açores, Canárias e Cabo Verde), tem a sua maior representativade aqui na Madeira, e embora tenha sido muito destruída em tantos e tantos locais, pode ainda ser apreciada em imensas áreas da Ilha (Montado dos Pessegueiros, Caldeirão Verde e Montado da Ilha, Montado do Galhano, Fanal e encostas da Ribeira da Janela, Serras da Boaventura e

Cette forêt qui était aussi abondant dans d'autres îles de l'Atlantique (dans les archipels des Açores, Canaries et Cap-Vert) a sa plus grande représentativité ici à Madère, malgré qu'elle ait subit une destruction massive dans plusieurs endroits, néamoins elle peut encore être appréciée dans d'immenses surfaces de l'île (Montado dos Pessegueiros, Caldeirão Verde et Montado da Ilha, Montado do Galhano, Fanal et dans les versants de la Ribeira da Janela, Serras da

Echium candicans

Echium nervosum

These woods abundant at one time also in other Atlantic Islands (Azores, Canaries and Cape Verde) are most richly represented here in Madeira, and though they have been destroyed in many localities they can still be seen in immense areas of the Island (Montado dos Pessegueiros, Caldeirão Verde and Montado da Ilha, Montado do Galhano, Fanal and the slopes of Ribeira da Janela, the woods of

Diese früher auch in anderen atlantischen Inseln (Azoren, Kanarische Inseln und die Inseln von Cabo Verde) üppigen Wälder sind noch am üppigsten in Madeira vertreten, und trotzdem sie in vielen Orten zerstört wurden, so sind doch noch grosse Bestände auf der Insel vorhanden (Montado dos Pessegeiros, Caldeirão Verde und Montado da Ilha, Montado do Galhano, Fanal und die Abhänge von Ribeira da Janela, die Wälder von

Erigeron karwinskianus

Erythrina abyssinica

Erysimum mutabile

145

Euphorbia fulgens

Euphorbia pulcherrima

de São Jorge, Fajã da Nogueira, serras entre o Ribeiro Frio e o Santo da Serra, etc.), cobrindo uma superfície total superior a 10000 hectares.
A *Laurisilva*, tipo de floresta de grande interesse para o botânico e para quem tem o culto da Natureza, é constituída por espécies vegetais que, hoje no Mundo inteiro, são muito raras, aparecendo escassos exemplares apenas em Jardins Botânicos. Dela fazem parte árvores de grande porte, de folhagem permanente, muitas das quais de

Boaventura et de São Jorge, Fajã da Nogueira, dans les montagnes entre le Ribeiro Frio et le Santo da Serra, etc.) couvrant une superficie totale supérieure à 10 000 hectares.
La «*Laurisilva*», type de forêt d'un gran intérêt pour le botaniste et pour ceux qui ont le culte de la nature, est constituée par des espèces de végétation aujourd'hui très rares dans le monde entier, on trouve encore quelques exemplaires seulement dans les jardins botaniques. Parmi celle-ci on y trouve des arbres de grande taille, avec feuillage permanent lesquelles

Boaventura and of São Jorge, Fajã da Nogueira, the woods between Ribeiro Frio and Santo da Serra, etc.) covering a total area of more than 10,000 hectars.
The typical *Laurel Woods* of the Atlantic Islands are of great botanical interest as well as of interest to any nature lover. They are composed of species which today are very scarce anywhere in the world and only rarely specimens appear in some Botanical Gardens. They constitute large evergreen trees, many of which of great value for their timber, a reason why they

Boaventura und São Jorge, Fajã da Nogueira, die Wälder zwischen Ribeiro Frio und Santo da Serra, etc.), die eine Gesamtfläche von mehr als 10.000 ha ausmachen. Ebensowie für Freunde der Natur sind die typischen *Laurazeenwälder* der Atlantischen Inseln für die Wissenschaft von grossem, botanischem Interesse. Sie setzen sich aus Arten zusammen, die heutzutage irgendwo in der Welt von grosser Seltenheit sind und nur hie und da in Botanischen Gärten zu sehen sind. Sie bestehen aus grossen immergrünen Bäumen, viele

grande interesse madeireiro, pelo
que foram muito exploradas. O til
(Ocotea foetens), o vinhático (Persea
indica), o Barbusano (Apollonias
barbujana), o loureiro (Laurus
azorica), o pau branco (Picconia
excelsa) e o aderno (Heberdenia
excelsa) constituem as espécies
arbóreas mais imponentes. O perado
(Ilex perado), o azevinho (Ilex
canariensis), a faia (Myrica faya), o
sanguinho (Rhamnus glandulosa) e o
folhado (Clethra arborea) são as
árvores menos corpulentas, como
que estabelecendo transição para os

sont d'un gran intérêt pour le bois
d'où l'exploitation intensive. Le «til»
(Ocotea foetens), Laurier de Madère,
le «vinhático» (Persea indica), Laurier
royal ou Acajou de Madère, le
«barbusano» (Apollonias barbujana),
le laurier (Laurus azorica) dit Laurier
des Açores, le «pau branco»
(Picconia excelsa) et le «aderno»
(Heberdenia excelsa) constituent les
espèces arborées les plus
imposantes. Le «perado» (Ilex
perado), le «azevinho» (Ilex
canariensis), le «faia» (Myrica faya)
ou Myrte des Açores, le
«sanguinho» (Rhamnus glandulosa)
et le «folhado» (Clethra arborea)
sont des arbres de moindre taille,
établissant une transition aux

were very much decimated. The
Tiltree (Ocotea foetens), the
Vinhático (Persea indica), the
Barbusano (Apollonias barbujana),
the Laurel (Laurus azorica), the Pau
Branco (Picconia excelsa) and the
Aderno (Heberdenia excelsa) make
up the most imposing arboreal
species. The two Hollies, Perado
(Ilex perado) and Azevinho (Ilex
canariensis), the Faia (Myrica faya),
the Sanguinho (Rhamnus glandulosa)
and the Folhado (Clethra arborea)
are smaller trees, as though they

davon als Bauholz sehr wertvoll, ein
Grund warum sie so stark dezimiert
wurden. Der Til (Ocotea foetens),
der Vinhático (Persea indica), der
Barbusano (Apollonias barbujana),
der Lorbeerbaum (Laurus azorica),
der Pau Branco (Picconia excelsa)
und der Aderno (Heberdenia excelsa)
zählen zu den imponierenden
Baumarten. Die zwei Stechpalmen,
Perado (Ilex perado) und Azevinho
(Ilex canariensis), die Faia (Myrica
faya), der Kreuzdorn (Rhamnus
glandulosa) und der Folhado (Clethra
arborea) sind kleinere Bäume, wie
ein Übergang zu Büschen, von

*Geranium
maderense*

*Hedychium
gardnerianum*

*Heliotropium
arborescens*

arbustos, dos quais os mais frequentes, notáveis e conhecidos na *Laurisilva* são as urzes *(Erica arborea* e *E. scoparia)* e as uveiras *(Vaccinium padifolium)* e menos frequentes, mas de grande beleza, os pampilhos *(Argyranthemum pinnatifidum)*, as leitugas *(Sonchus fruticosus)*, o massaroco *(Echium candicans)*, o *Isoplexis sceptrum*, o piorno *(Cytisus maderensis* hoje *Teline maderensis)*, o goivo da serra *(Erysimum mutabile)*.

arbustes, parmi lesquels, les plus fréquents, remarquables et connus dans la «Laurisilva» sont des «urzes» *(Erica arborea* et *E. scoparia)* ou Bruyère cendrée de Madère et les «uveiras» *(Vaccinium padifolium)*, et les moins frequents, mais d'une grande beauté, les «pampilhos» *(Argyranthemmum pinnatifidum)*, soit le Chrysanthème sauvage ou Marguerite de Madère, les «leitugas» *(Sonchus fruticosus)* ou laiteron, le «massaroco» *(Echium candicans)*, le *Isoplexis sceptrum*, le «piorno» *(Cytisus maderensis* aujourd'hui *Teline maderensis)* soit Cytise de Madère ou Genêt de Madère, le «goivo da serra» *(Erysimum mutabile)* soit Giroflée de Madère ou Vélar de Madère.

Eupatorium adenophorum (=Ageratina adenophora)

Hydrangea macrophylla

were a transition to the shrubs, of which the most frequent, most notable and the best known ones of the Laurel Woods are the Tree Heaths *(Erica arborea* and *E. scoparia)* and the Madeira Bilberry *(Vaccinium padifolium)*, and less common but of great beauty *Argyranthemum pinnatifidum*, the Sowthistle *(Sonchus fruticosus)*, the Pride of Madeira *(Echium candicans)*, *Isoplexis sceptrum*, the Piorno *(Cytisus maderensis = Teline maderensis)*, the Stock *(Erysimum mutabile)*.

welchen die Baumheiden *(Erica arborea* und *E. scoparia)* und die Madeira Heidelbeere *(Vaccinium padifolium)*, die häufigsten, die bedeutendsten und die am besten bekannten sind. Weniger häufig aber von grosser Schönheit sind *Argyranthemum pinnatifidum*, die Saudistel *(Sonchus fruticosus)*, der Natternkopf *(Echium candicans)*, *Isoplexis sceptrum*, der Piorno *(Cytisus maderensis = Teline maderensis)*, der Schöterich (Goivo da Serra, *Erysimum mutabile)*.

148

Hylocereus undatus

Isoplexis sceptrum

Jaracaranda mimosifolia

Jacobinia carnea

Kigelia pinnata

Como vegetação mais rasteira na *Laurisilva* nota-se uma abundância enorme de fetos, alguns específicos ou endémicos da Madeira, e gramíneas e, ainda, outras plantas herbáceas menos conhecidas ou pouco frequentes, mas muito curiosas, como a pequena «orquídea da Madeira» *(Dactylorhiza foliosa)*, a hera terrestre *(Sibthorpia peregrina)*, os ensaiões *(Aichryson* spp.), os gerânios *(Geranium* spp.), o alegra--campo *(Semele androgyna)*, as silvas *(Rubus* spp.), as azedas *(Rumex* spp.). Além de muitas

À même du sol dans la «Laurisilva» on trouve comme végétation en abondance énorme des fougéres, quelques-unes spécifiques ou endémiques de Madère, les graminées et encore d'autres plantes herbacées moins connues et peu fréquentes cependant trés curieuses, comme la petite orchidée de Madère *(Dactylorhiza foliosa)*, la «hera» terrestre *(Sibthorpia peregrina)* soit le Faux lierre terrestre, les «ensaiões» *(Aichryson spp.)* joubarbe en arbre, les géraniums *(Geranium spp.)*, le

Among the creeping vegetation of the *Laurel Wood* a great abundance of ferns is notable, some of which are specific or endemic to Madeira. There are also grasses and other less known or rare herbaceous plants, but which are, nevertheless, very curious as for instance the small Madeira Orchid *(Dactylorhiza foliosa)*, *Sibthorpia peregrina*, the Succulent Herbs *(Aichryson* spp.) the Geraniums *(Geranium* spp.) the Docks *(Rumex* spp.). Apart from many other species that grow in the

Der *Laurazeenwald* ist reich an Farnen, einige davon sind endemisch. Gräser und andere wenig bekannte Kräuter wachsen in diesen Wäldern, die ebenfalls sehr bemerkenswert sind, wie zum Beispiel die Madeira Orchidee *(Dactylorhiza foliosa)*, *Sibthorpia peregrina,* die sukkulenten Kräuter *(Aichryson* spp.) die Geranien *(Geranium* spp.) die Ampfer *(Rumex* spp.). Ausser vielen anderen Arten, die in der feuchten und schwülen

Lagerstroemia indica

Kniphofia uvaria

Magnolia grandiflora

Magnolia denudata

151

Metrosideros excelsa

Narcissus jonquilla
Bergenia crassifolia (= Saxifraga crassifolia)

outras espécies de plantas que crescem no ambiente húmido e fechado da *Laurisilva*, há, também, mais árvores, arbustos e herbáceas de muito interesse que se desenvolvem junto ao litoral ou nos píncaros, em «habitats» totalmente diferentes dos da floresta típica madeirense. São muito valiosas, espécies, como o dragoeiro *(Dracaena draco)*, o marmulano *(Sideroxylon marmulano)*, o buxo da rocha *(Chamaemeles coriacea)*, a *Musschia aurea*, o goivo da rocha *(Mathiola maderensis)*, o

«alegra-campo» *(Semele androgyna)*, Fragon grimpant, les «silvas» *(Rubus spp.)*, Ronce, Mûre, les «azedas» *(Rumex spp.)* ou Oseille de Madère. Et bien d'autres espèces de plantes qui poussent dans l'ambiance humide et fermée de la *«Laurisilva»*, il y a aussi beaucoup d'arbres, arbustes et herbes d'un grand intérêt qui grandissent au long du litoral ou dans les «pincaros», habitats totalement différents de ceux des forêts madériennes. Ce sont des espèces d'une grande valeur comme le «dragoeiro» *(Dracaena draco)*

humid and close atmosphere of the *Laurel Wood* there are also other trees, shrubs or herbs of great interest that thrive in the littoral zone or the summits of the mountains, in habitats that are totally different from the typical forests of Madeira. Of great value are species such as the Dragon Tree *(Dracaena draco)*, the ''Marmulano'' *(Sideroxylon marmulano)*, the ''Buxo da Rocha'' *(Chamaemeles coriacea)*, *Musschia aurea*, the ''Goivo da Rocha'' *(Mathiola maderensis)*,

Atmosphäre gedeihen gibt es Bäume, Büsche oder Kräuter von grossem Interesse, die in der Küstenzone oder auf den Höhen der Berge wachsen, in Orten, die vollkommen verschieden von den typischen Wäldern Madeiras sind. Von grosser Bedeutung sind solche wie der Drachenbaum *(Dracaena draco)*, der ''Marmulano'' *(Sideroxylon marmulano)*, der ''Buxo da Rocha'' *(Chamaemeles coriacea)*,

Nerine sarniensis

Phaphiopedilum hybr.

Nolina recurvata (=Beaucarnea recurvata)

Passiflora antioquiensis

Petrea volubilis

Sinapidendron angustifolium, os ensaiões *(Aeonium glandulosum* e *A. glutinosum)*, que vegetam nos terrenos rochosos e incultos da beira-mar, e o *Sorbus maderensis*, a violeta amarela *(Viola paradoxa)* e a *Armeria maderensis*, que vivem nos pontos mais altos dalguns dos nossos picos.

Da flora madeirense (e continuamos a referir-nos apenas a plantas superiores), que se distribui por cerca de 112 famílias e cerca de 760 espécies, perto de 16 % das

Dragonnier, le «marmulano» *(Sideroxylon marmulano)* le «buxo» des rochers *(Chamaemeles coriacea)*, Faux-Buis, la *Musschia aurea* ou Musschia Doré ou encore Campanule de Madère, le «goivo» des rochers *(Mathiola maderensis)*, Viollier de Madère, Giroflée de Madère, le *Sinapidendron angustifolium* ou Moutarde arbustive, Moutarde à feuilles de saule, les «ensaiões» *(Aeonium glandulosum* et *A. glutinosum)* Joubarbe Plateau et Joubarbe Glutineuse, qui végètent dans les terrains rocheux et incultes au bord de la mer et le *Sorbus maderensis* ou Sorbier de Madère, la Violette de Madère *(Viola paradoxa)* et la *Arméria maderensis* ou Armérie de Madère, qui vivent dans les endroits les plus hauts de quelques uns de nos pics.

De la flore madérienne (et nous ne citons que les plantes supérieures) qui s'étendent sur environ 112 familles et d'environ 760 espèces, presque 16 % des espèces sont

Sinapidendron angustifolium, the succulents *(Aeonium glandulosum* and *A. glutinosum)*, which grow in rocky uncultivated terrain near the sea, and the Madeiran Rowan *(Sorbus maderensis)*, the yellow violet *(Viola paradoxa)* and *Armeria maderensis* that thrive on the highest peaks of our mountains. The Madeiran flora (we continue to only refer to higher plants) is represented by 112 families containing about 760 species, about 16% of which are exclusively

Musschia aurea, der "Goivo da Rocha" (Mathiola maderensis), Sinapidendron angustifolium, die Sukkulenten (Aeonium glandulosum und A. glutinosum), die in unbebautem, felsigem Terrain in der Nähe des Meeres wachsen, und die Madeira Eberesche (Sorbus maderensis), das gelbe Veilchen (Viola paradoxa) und Armeria maderensis, welche auf den höchsten Bergen üppig gedeihen. Die Flora Madeiras (wir beziehen uns weiterhin auf die höheren Pflanzen) sind durch 112 Familien vertreten, die etwa 760 Arten enthalten, von welchen etwa 16% ausschliesslich von Madeira sind, das heisst sie existieren im wilden Zustand in keinem anderen Ort der Welt, 10% sind makaronesisch, also in natürlichem Zustand nur auf einigen der Archipele der Azoren, der Kanaren oder der Capverden zu finden. Die übrigen sind zum grössten Teil mediterrane oder atlantische Pflanzen. Ganz abgesehen von der grossen Bedeutung der einheimischen Flora Madeiras, besteht kein Zweifel, dass das haupt — wenn nicht das grösste — wissenschaftliche Interesse der

Schotia brachypetala

Scilla maderensis

Semele androgyna

Sobralia macrantha

Spathodea campanulata

espécies são exclusivamente madeirenses (não se encontram no estado natural em mais parte alguma do mundo), 10 % são macaronésicas (só se encontram no estado natural, além da Madeira, em alguns dos arquipélagos dos Açores, Canárias e Cabo Verde) e o restante são, sobretudo, plantas mediterrânicas ou atlânticas. Independentemente do grande valor de toda a flora indígena da Madeira, é fora de dúvida, que no conjunto das espécies endémicas madeirenses e macaronésicas (cerca de 26 %) reside um dos principais interesses científicos — senão o maior — da cobertura vegetal da Ilha.

exclusivement madèriennes (aucunes ne sont à l'état naturel partout ailleurs dans le monde), 10 % sont macaronésiques (à part Madère on les trouve à l'état naturel que dans certains archipels comme les Açores, Canaries et Cap-Vert) le restant sont surtout, des plantes méditerranéennes ou atlantiques. Indépendamment de la grande valeur de toute la flore de Madère, il est hors de doute, que dans l'ensemble des espèces endémiques et de Macaronésie (environ 26 %) réside principalement tout l'intérêt scientifique, si pas le plus important de la couverture végétale de l'île. Ajoutons encore que l'extraordinaire valeur de la flore de Madère résulte du fait que quelques espèces de

Madeiran, i.e. they are not found in the wild state in any other part of the world, 10% are Macaronesian, therefore only found in their natural state in some of the archipelagos of the Azores, Canaries or the Cape Verdes. The remaining ones are mainly Mediterranean or Atlantic plants. Quite apart from the great value of the indigenous flora of Madeira, there is no doubt that one of the main scientific interests of the vegetation of the island — if not the greatest — lies in the assemblage of the Madeiran and Macaronesian species (about 26%).
A special value is added to the flora of Madeira by the fact that some of the species of plants that are part of it are the same as, or very closely

Vegetation der Insel in den madeirensischen und makaronesischen Arten (etwa 26%) liegt.
Dass einige Pflanzenarten Madeiras nahe verwandt oder dieselben sind wie die, die in vergangener Zeit

Sterculia acerifolia (= Brachychiton acerifolium)

Strelitzia reginae

Trachelospermum
jasminoides

Wisteria sinensis

Acresce ainda que um extraordinário valor da flora madeirense resulta do facto de algumas das espécies de plantas que a compõem serem as mesmas, ou muito próximas, das que em tempos idos (período terciário) faziam parte da flora da Europa ocidental. E enquanto essas espécies foram destruídas ou desapareceram no Continente europeu, por motivo das glaciações que se sucederam no período quaternário, permaneceram nas ilhas atlânticas, «refugiadas» nestas áreas não sujeitas à influência daqueles intensíssimos arrefecimentos climáticos. Pode assim dizer-se que a flora natural da Madeira tem uma alta importância para o Mundo da Ciência, uma vez que certos dos seus elementos componentes se podem considerar como verdadeiras «relíquias».

Yucca gloriosa

Zantedeschia aethiopica

plantes qui la compose soient les mêmes, ou très proches, de celles qui jadis (période tertiaire) faisaient partie de la flore de l'Europe occidentale. Pendant ce temps, ces espèces étaient détruites ou disparues du Continent européen, en raison des époques glaciaires qui se sont succédées dans la période quaternaire. Dans les îles atlantiques, elles sont restées protégées loin des zones d'influence à refroidissement climatique intense. Nous pouvons ainsi dire que la flore naturelle de Madère a une haute importance au point de vue scientifique pour le monde du fait que certains de ses éléments composants soient considérés comme de véritables «reliques».

Zygopetalum mackaii

related to others that in past times (the Tertiary) were part of the western European flora. And while these species were destroyed or disappeared on the European continent on account of the glaciations that followed during the Quaternary they persisted in the Atlantic Islands, sheltered in these areas which were not subjected to the influence of these intense climatic coolings. One can thus say that the natural flora of Madeira is of great importance to the World of Science as certain components can be considered veritable relics.

(dem Tertiär) zur westeuropäischen Flora gehörten, fügt der Vegetation der Insel eine besondere Bedeutung hinzu. Und während diese Arten auf dem Europäischen Kontinent verschwanden oder durch die Vereisungen, die im Quartär folgten, zerstört wurden, erhielten sie sich auf den Atlantischen Inseln, die in diesen Arealen nicht unter dem Einfluss dieser klimatischen Kühlungen standen. Man kann also sagen, dass die natürliche Flora Madeiras für die Welt der Wissenschaft von grosser Wichtigkeit ist, da bestimmte Komponenten wahrhaftige Relikte sind.

OS VINHOS

LES VINS

Desde longa data, uma das principais produções agrícolas da Madeira. Ilustrados nestas duas páginas, vários aspectos desta actividade.

Toujours une des principales productions de l'agriculture de Madère. Illustrés ici, plusieurs aspects de cette activité.

THE WINES

The famous Madeira wines are among the
main products of the local agriculture.
Illustrated here are several aspects of this
old activity.

DIE WEINE

Die berühmten Madeira Weine gehören zu
den wichtigsten Erzeugnissen der örtlichen
Landwirtschaft.
Einige Aspekte dieser alten Aktivität sind hier
illustriert.

MUSEU MUNICIPAL

Rica colecção sobre a história natural da Madeira, com destaque para os inúmeros espécimens embalsamados das aves e dos peixes do arquipélago. Muitos desses peixes podem ser observados ao vivo no aquário anexo.

Au Musée Municipal on peut voir une riche collection sur l'histoire naturelle des îles, d'où se détachent les innombrables spécimens des poissons et des oiseaux de l'archipel. Beaucoup de ces poissons peuvent être étudiés au vif dans l'aquarium annexé au musée.

This Museum houses large collections of specimens pertaining to the local fauna and flora of the Archipelago, both recent and extinct. The birds and most representative fishes are shown in a mounted state in glass cases, and free when very large. Part of these sea fishes etc. can also be observed alive in the adjoining Aquarium.

Das Museum enthält bedeutende Sammlungen von Exemplaren der einheimischen Fauna und Flora des Archipels, rezent oder ausgestorben. Die repräsentativsten Fische sind aufgestellt in beleuchteten Vitrinen oder, wenn sehr gross, frei. Ein Teil dieser Seefische, sowie auch Krebstiere können in dem angrenzenden Aquarium lebend beobachtet werden.

MUSEU DE ARTE SACRA

MUSÉE DE L'ART SACRÉ

MUSEUM OF SACRED ART

MUSEUM DER HEILIGEN KÜNSTE

QUINTA DAS CRUZES

Jardim, museu e parque arqueológico.

Jardin, musée et parc archéologique.

Garden, museum and archaeological park.

Garten, Museum und Archäologischer Park.

AS TAPEÇARIAS
e…

LES TAPISSERIES
et…

THE TAPESTRIES
and…

DIE TAPISSERIEN
und…

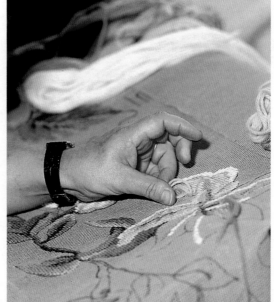

...os **BORDADOS** feitos à mão!
...les **BRODERIES** faites à la main!
...the hand-made **EMBROIDERIES**!
...die Madeira **HANDSTICKEREIEN**!

A FESTA DA FLOR realiza-se todos os anos, na primavera.

Le FESTIVAL DE LA FLEUR a lieu chaque printemps.

The FLOWER FESTIVAL is a spring event every year.

Das BLUMENFEST findet jedes Jahr im Frühling statt.

HOTÉIS   HÔTELS   HOTELS   HOTELS

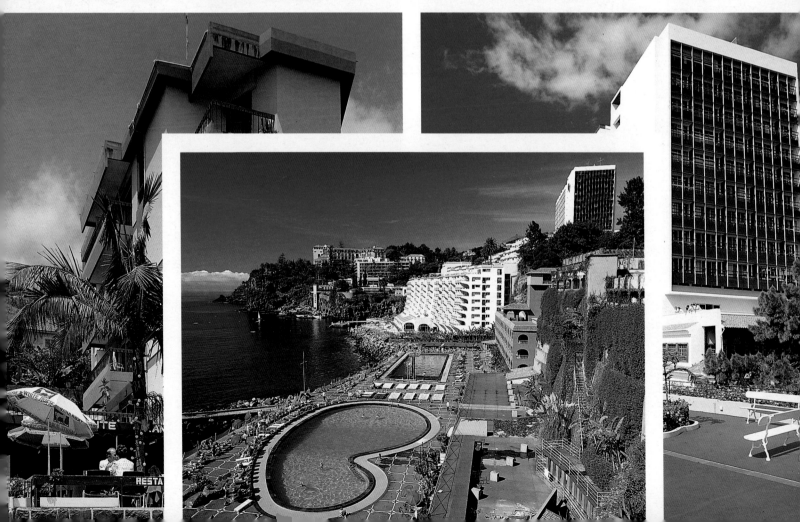

HOTÉIS   HÔTELS   HOTELS   HOTELS

Foto da Secretaria Regional de Turismo, Funchal.

PORTO SANTO

PORTO SANTO

Em cima, a casa onde viveu Cristóvão Colombo.
Em baixo, alguns aspectos da ilha.

En haut, la maison où a vécu Christophe Colomb.
En bas, quelques vues de l'île.

Above, the house where Cristopher Columbus lived.
Below, some views of the island.

Oben, das Haus, wo Christoph Kolumbus wohnte.
Unten, einige Aspekte aus Porto Santo.

Fotos de Francisco Ribeiro & Filhos, Lda.

Monumento a Cristóvão Colombo.

Monument à Cristophe Colomb.

Monument of Cristopher Columbus.

Denkmal für Christoph Kolumbus.

Outros dois aspectos da casa onde Colombo viveu.

Deux autres vues de la maison où Colomb a vécu.

A further two views of the house where Columbus lived.

Noch zwei Ansichten des Hauses, wo Kolumbus wohnte.

A praia, o mar e o porto.

La plage, la mer et le port.

The beach, the sea and the harbour.

Der Strand, das Meer und der Hafen.

Em cima: O Pico do Castelo
(457 m) é o segundo mais
alto da ilha.

En haut : le Pico do Castelo
(457 m) est le deuxième pic
plus haut de l'île.

Above: The Pico do Castelo
(457 m) is the second highest
peak of the island.

Oben: Pico do Castelo
(457 m) ist der zweithöchste
Berg der Insel.

Em baixo: À distância, o Ilhéu
de Baixo (ou Ilhéu da Cal)
assemelha-se a um estranho
animal adormecido.

En bas : au loin, l'Ilhéu de
Baixo (ou Ilhéu de Cal)
ressemble à un étrange
animal qui dort.

Below: From a distance, the
Ilhéu de Baixo (or Ilhéu da
Cal) ressembles a sleeping
beast.

Unten: Von weitem ähnelt der
Ilhéu de Baixo (oder Ilhéu da
Cal) einem schlafenden Tier.

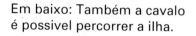

Em baixo: Também a cavalo
é possível percorrer a ilha.

En bas : il est aussi possible
de parcourir l'île à cheval.

Below: Riding horseback
around the island is a
passion for many.

Unten: Zu Pferde, durch die
Insel.

Os típicos
moinhos de Porto
Santo ainda há
poucas dezenas de
anos tinham
trabalho, mais ou
menos contínuo.
Contudo, devido
ao rápido
progresso da ilha e
ao declínio da
agricultura, os
poucos que restam
são agora apenas
uma atracção
turística da
paisagem local.

Les typiques
moulins à vent de
Porto Santo
avaient encore, il y
a quelques
dizaines d'années,
du travail plus ou
moins permanent.
Toutefois, dû au
progrès rapide de
l'île et au déclin de
l'agriculture, ils se
font rares
aujourd'hui. Les
derniers encore
existants ne sont
que des attractions
touristiques dans
le paysage local.

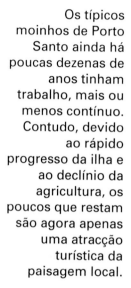

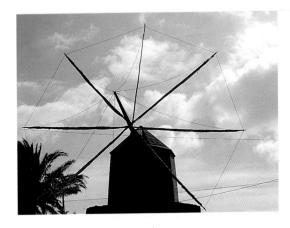

Until the 70's it was still usual to see the traditional windmills working. However, rapid local development and a decreasing agriculture has turned the few surviving ones into mere tourist attractions on the local landscape.

Bis in die 70er Jahre wurden die Windmühlen noch regelmässig benutzt. Die schnelle lokale Entwicklung und rückläufige Landwirtschaft machten die wenigen noch existierenden Mühlen zu einer rein touristischen Attraktion.

Um dos antigos barcos que ofereciam o mais popular serviço de cabotagem, em especial de carga, entre a Madeira e o Porto Santo. Nas duas fotos de baixo vê-se o cais, ainda existente, onde esses barcos encosta-vam.

Un des anciens bateaux qui assuraient les transports, en particulier de marchandises, entre Madère et Porto Santo. Les deux photos du bas représentent le ponton, toujours existant, où ces bateaux accostaient.

Above: One of the small ships which plyed between Madeira and Porto Santo carrying passengers and cargo. The two photos below show the quay, which still exists, where the boasts moored.

Oben: Eines der kleinen Schiffe, die den Transport zwischen Madeira und Porto Santo aufrechterhielten und hauptsächlich Fracht, aber auch Personen beförderten. Die beiden unteren Fotos zeigen den Kai, der auch heute noch existiert, wo die Schiffe anegten.

Este é um dos catamarãs que hoje garantem o transporte regular de passageiros entre a Madeira e o Porto Santo.

Ici, un des catamarans qui actuellementfont le service régulier de passagers de Madère à Porto Santo et vice-versa.

This is one of the catamarans which at present provide regular transport of passengers between Madeira and Porto Santo.

Dieses ist einer der Katamarane, die den regelmässigen Transport von Passagieren zwischen Madeira und Porto Santo durchführen.

Foi assim que, há muitos milhões de anos, a lava basáltica arrefeceu no fundo da chaminé vulcânica que deu depois origem ao Pico de Ana Ferreira.

C'est ainsi qu'il y a des millions d'années la lave basaltique s'est refroidie dans le fond de la cheminée volcanique, donnant naissance plus tard au Pic de Ana Ferreira.

Millions of years ago, the lava hardened at the bottom of the volcanic chimney, thus later forming the Pico de Ana Ferreira.

Auf diese Weise erkaltete die Basaltlava vor Millionen von Jahren auf dem Grund des vulkanischen Kamins aus dem der Pico de Ana Ferreira wurde.

O aeroporto dispõe de
uma pista de 3.000 m.

L'aéroport possède
une piste de 3000 m.

The airport has a
3,000 m runway.

Der Flughafen hat eine
Rollbahn von 3.000 m.

A beleza das tamareiras num sossegado recanto do Porto Santo.

La beauté des dattiers dans un recoin du paysage reposant de Porto Santo.

The beauty of the date-palms in a quiet corner of Porto Santo.

Herrliche Dattelpalme in einer ruhigen Ecke von Porto Santo.

Um antigo costume de quem passava férias no Porto Santo, era dar assim um passeio.

Pour ceux qui étaient en vacances à Porto Santo, la coutume était de se promener ainsi.

No-one used to return from holidays in Porto Santo without having taken a donkey ride.

Früher gehörte zu einem Aufenthalt auf Porto Santo unbedingt ein Eselsritt.

Vistas aéreas.

Vues aériennes.

Aerial views.

Luftansichten.

POSFÁCIO

Tradicionalmente, o Porto Santo é o local escolhido por muito madeirenses para passarem as suas férias.

A sua linda praia de 8 kms (a única de areias douradas em todo o arquipélago) enche-se de forasteiros no período de Verão, para logo nos meses seguintes voltar a ser o calmo paraíso que muitos outros procuram.

A grande extensão desta praia e o amarelado da vegetação durante o estio explicam o título de «Ilha Dourada» carinhosamente aplicado ao Porto Santo.

O clima da ilha, seco e ameno durante todo o ano, permite tomar banhos de mar em todas as estações.

De baixa altitude média (os picos mais altos são o do Castelo, 457 m e o do Facho, 517 m), muito pouca resistência a ilha oferece aos ventos regulares que sopram do norte. Deste modo, aos núvens –carregadas de água, tão precisa ali quase sempre, continuam a sua corrida para o sul, deixando para trás, indiferentes, esta pequena Ilha, entregue à sua tradicional secura.

Bastante arborizada aquando da sua descoberta em 1418, cedo os homens destruíram a sua floresta para obterem combustível e para cultivarem cereais.

Depressa, porém, se fez sentir a necessidade de voltar a arborizar a ilha, pelo que medidas nesse sentido têm sido preocupação de quase todos os governos. Assim, ao mesmo tempo que se aumentan as zonas arborizadas e se regulamenta a pastagem de gado, vão sendo construídas pequenas barragens que retêm as águas das chuvas e ajudam a evitar a erosão do solo.

Herdeiros, por conseguinte, de uma agricultura muito pobre, os cerca 5.000 habitantes vivem hoje principalmente do turismo.

Bartolomeu Perestrelo homem de confiança do Infante D. Henrique, foi o primeiro Governador do Porto Santo. Sua filha Felipa Moniz viria depois a casar-se com Cristóvão Colombo. Vale la pena visitar a casa, recentemente restaurada, que foi sua residência e ver a biblioteca e os objetos expostos, evocativos da figura de Colombo.

As ligações da Madeira com o Porto Santo fazem-se por barco (cerca de 90 minutos em catamarã) ou por avião (cerca de 15 m num pequeno avião de 30 lugares).

A longa pista do aeroporto (3 kms) admite no entanto a aterragem de grandes aviões, pelo que também é frequente vê-los ali.

Por outro lado, o porto de abrigo, construído há poucos anos no extremo oriental da praia, pode acolher barcos de cruzeiro de tonelagem média.

A rede de estradas existentes cobre quase toda la ilha, e novas vias vão sendo abertas ou melhoradas.

A qualquer pessoa que chega, torna-se por isso fácil percorrê-la de ponta a ponta. O meio mais simples é fazê-lo de táxi, que não é dispendioso. Mas para os que gostam do contacto mais directo com a natureza, recomendam-se os passeios a pé, que por toda a ilha oferecem a possibilidade de descobrir surpreendentes paisagens e sobretudo descansar o espírito no silêncio que reina por todo o lado. Silêncio só interrompido pelo sussurar da brisa, pelo ruído do mar ao tocar no fundo das falésias ou arrastando-se pela praia, ou ainda pelo gorjeio curioso de algum pássaro. Para sudoeste e com tempo normal, podem ver-se à distância os vultos das Desertas e da Madeira, como que a chamar-nos à realidade e a lembrar-nos que em breve teremos de partir. É já o desejo de aqui voltarmos que toma conta de nós!

ÉPILOGUE

Par tradition, Porto Santo est, pour de nombreux madériens, l'endroit de prédilection pour passer les vacances.

Sa plage magnifique au sable doré de 8 km de long (l'unique de tout l'archipel) se remplit de vacanciers au moment de l'été pour redevenir, les mois suivants, un paradis calme recherché par certains.

La grande étendue de sable doré et le jaune de la végétation, en été, ont valu à Porto Santo son surnom d'Ile Dorée.

Son climat sec et doux durant toute l'année permet les bains de mer en toute saison.

D'altitude moyenne (les Pics les plus élevés sont: celui du Castelo 457 m et celui du Facho 517 m), l'île offre peu de résistance aux vents réguliers qui soufflent du Nord. Par conséquent les nuages chargés de pluie, si indispensable à l'agriculture, ne font que passe, continuant leur course vers le Sud et laissant cette petite île à sa sécheresse permanente.

Peuplée d'arbres au moment de sa découverte en 1418, les hommes, très vite, détruisirent sa forêt afin de s'en servir comme combustible et de cultiver des céréales. Bientôt la nécessité de replanter des arbres se fit sentir et continue à être une des principales préoccupations de chaque gouvernement au pouvoir. En même temps que certaines zones sont reboisées et que l'on délimite les pâturages, l'on construit de petits barrages qui aident à retenir l'eau de pluie évitant l'érosion du sol.

En conséquence, les quelque 5000 habitants, héritiers d'une agriculture pauvre, vivent principalement, aujourd'hui, du tourisme.

Bartolomeu Perestrelo, homme de confiance de l'Infant Henri, fut le premier gouverneur de Porto Santo. Plus tard, sa fille, Filipa Moniz, deviendra l'épouse de Christophe Colomb.

Sa maison, récemment restaurée, vaut la peine d'être visitée ainsi que la bibliothéque avec ses différents objets exposés qui sont le reflet de la personnalité de Colomb.

Les liaisons entre Madère et Porto Santo se font, soi par bateau (environ 90 minutes en catamaran), soit par avion (environ 15 mn dans un petit avion de 30 places).

La longue piste de l'aéroport (3 km) permet l'atterrissage de gros avions que l'on peut voir fréquemment.

Le port, construit il y a quelques années, à l'extrémité de la plage, peut abriter des bateaux de croisières de taille moyenne.

Le réseau routier couvre pratiquement toute l'île et de nouvelles voies sont construites ou améliorées. Il est ainsi facile de parcourir l'île d'une pointe à l'autre. Le moyen de transport le plus simple et peu cher est le taxi, mais pour ceux qui préfèrent le contact direct avec la nature nous recommandons les promenades à pied qui vous offrent la possibilité de découvrir des paysages grandioses, d'apprécier le silence qui règne en maître.

Silence seulement interrompu par le murmure de la brise, par le roulement des vagues qui s'écrasent au pied des falaises ou qui viennent caresser le sable de la plage ou encore par le chant curieux d'un oiseau.

Vers le sud-ouest, par temps clair, l'on peut voir la masse rocheuse des îles Désertes et de Madère comme pour nous ramener à la réalité et nous rappeler que le départ approche...

...Et déjà le désir de revenir dans cette île dorée s'empare de nous!

FINAL NOTE

Porto Santo is the place many Madeirans traditionally choose to spend their holidays.

It has a beautiful 8 km long beach, the only one with golden sand in the whole archipelago. It is very popular with visitors during the summer months, and after they have departed, it regains the peace and quiet sought by others.

The considerable length of this beach and the golden tones of the vegetation during the summer account for the name «The Golden Isle».

It is possible to bathe throughout the year since the climate is always dry and mild.

Of comparatively low altitude (Pico do Castelo with 457 metres and Pico do Facho with 517 metres are the highest peaks), Porto Santo offers little resistance to the northerly winds. Because of this, the clouds, laden with the water so necessary to the island, nearly always continue on their way southwards, leaving behind them this small island to its customary drought.

Heavily forested when it was discovered in 1418, these forests were soon destroyed in order to obtain fuel and land for cultivation.

It was not long, however, before it was felt necessary to replant the trees and this has been a concern of nearly all subsequent governments. So, while reforestation continues and cattle are controlled, small dams are being built to retain rainwater to avoid soil erosion.

The 5,000 or so inhabitants, heirs to a very poor agriculture, therefore live mainly from tourism today.

Bartolomeu Perestrelo, a trusted confidant of the Infante D. Henrique, was the first Governor of Porto Santo. His daughter, Felipa Moniz, later married Christopher Columbus.

The house that was their residence has recently been restored and is well worth a visit. The library can be visited and there are many items which evoke the time of Columbus.

Communication between Madeira and Porto Santo is by sea and the journey takes about 90 minutes by catamaran. A small plane carrying 30 passengers also makes the journey.

The airport with its long runway (3 km) is well equipped for large planes and the port –built only a few years ago at the far eastern end of the beach– provides berths for average sized cruisers.

The existing road system covers almost the whole island and new roads are being opened up or improved.

For any visitor, this makes it easy to see the island from one end to the other. It is easiest by taxi, and not expensive. However, for those who prefer more direct contact with nature, we would suggest going on foot since the island offers the opportunity of discovering surprising landscapes and of enjoying the peace and quiet that reigns everywhere. A silence disturbed only by the soft breezes, the sound of the sea washing the foot of the cliffs or rolling up the beach, or perhaps by birdsong.

To the south-east can be discerned the Deserta Islands and Madeira and they recall us to reality –a reminder that soon we must depart, but forever with a desire to return.

NACHWORT

Es ist Tradition vieler Madeirenser, auf Porto Santo ihre Ferien zu verbringen.

Der 8 km lange goldene Sandstrand, der einzige des Archipels, füllt sich in den Sommermonaten mit Feriengästen, um sich anschliessend wieder in ein friedliches Paradies zu verwandeln, wonach sich viele Menschen sehnen.

Die beachtliche Länge des Strandes und die im Sommer goldfarbene Vegetation gaben Porto Santo den Namen «Goldene Insel».

Das ganze Jahr über trockene und milde Klima der Insel erlaubt zu allen Jahreszeiten ein Bad im Meer.

Durch die nur geringen Erhebungen (Pico do Castelo mit 457 m und Pico do Facho mit 517 m) hat die Insel wenig Schutz vor den Nordwinden. Dadurch ziehen die regengeladenen Wolken mit dem für die Insel so wichtigen Wasser, fast immer nach Süden und hinterlassen die kleine Insel in der traditionellen Trockenheit.

Bei ihrer Entdeckung im Jahre 1418 war die Insel sehr bewaldet. Die Menschen zerstörten die Wälder jedoch sehr schnell, um Brennholz und Land für Ackerbau zu gewinnen. Schnell merkte man jedoch, dass es notwendig war, die Insel wieder aufzuholzen. Alle nachfolgenden Regierungen haben sich darum bemüht. Während man sich um Aufforstung und Reduzierung der Schafe und Ziegen bemüht, werden kleine Dämme gebaut, die das Regenwasser halten und somit die Bodenerosion vermeiden sollen.

Als Erben einer sehr armen Landwirtschaft leben die ca. 5000 Einwohner heute hauptsächlich vom Tourismus.

Bartolomeu Perestrelo, ein Vertrauensmann des Infante D. Henrique, war der erste Gouverneur von Porto Santo. Seine Tochter, Felipa Moniz, heiratete später Christopher Columbus.

Es lohnt sich, das kürzlich renovierte Haus, das als ihre Residenz diente, zu besichtigen. Man kann dort die Bibliothek und verschiedene Objekte von Columbus bewundern. Die Verbindung zwischen Porto Santo und Madeira ist entweder per Schiff (ca. 90 Min. im Katamaran) oder per Flugzeug; die 30-sitzige kleine Maschine befördert die Passagiere in 15 Min.

Die 3 km lange Landebahn erlaubt es auch grossen Maschinen hier zu landen, was man oft beobachten kann. Der erst vor einigen Jahren gebaute Hafen am östlichen Ende der Insel erlaubt das Anlegen von durchschnittlich grossen Kreuzfahrt-schiffen.

Das Strassennetz bedeckt fast die ganze Insel, neue Strassen werden gebaut, die vorhandenen verbessert.

Das erlaubt den Besuchern, die Insel von einem Ende zum anderen bequem zu besuchen. Am besten benutzt man dazu ein Taxi, was nicht allzu teuer ist. Wer allerdings den direkten Kontakt mit der Natur vorzieht, dem empfehlen wir zu Fuss zu laufen. Die Insel bietet erstaunliche Landschaftsbilder, man kann den überall herrschenden Frieden und die Ruhe geniessen. Eine Ruhe, die nur durch die sanfte Brise und das Rollen des Meeres am Strand oder durch Vogelgesang unterbrochen wird.

Im Südosten kann man bei klarem Wetter in der Ferne die Felsmasse der Desertas-Inseln sehen und auch Madeira, das uns wieder in die Wirklichkeit zurück bringt und uns daran erinnert, dass wir bald wieder abreisen müssen...

...und schon haben wir den Wunsch auf diese goldene Insel zurückzukehren.

INDICE

INDEX

INDEX

REGISTER

PORTO SANTO

DESCOBERTA – 1418 por João Gonçalves Zarco e Tristão Vaz Teixeira.

LOCALIZAÇÃO – Oceano Atlântico
Longitude 16° 16′ 35″
Latitude 32° 59′ 40″
Comprimento: 11 km
Largura: 6 km
Superfície: 41 km²
Maior Altitude: Pico do Facho 516 m
População: 5 000 habitantes
Densidade populacional: 120 habitantes km²
Capital: Vila Baleira

CLIMA – Seco e estável.

PRAIA – De areia muito fina com cerca de 9 km de comprimento.

HISTÓRIA – Em 1420 Bartolomeu Perestrelo iniciou o povoamento no século XV. Foi várias vezes atacada e saqueada pelos piratas.

MONUMENTOS – Casa de Cristóvão Colombo, Igreja da Piedade, Capela da Graça, Ermida da Graça, Capela do Espírito Santo, Capela de S. Pedro e Casa da Câmara.

DISCOVERY – 1418 by João Gonçalves Zarco and Tristão Vaz Teixeira.

LOCALIZATION – Atlantic Ocean
Longitude 16° 16′ 35″
Latitude 32° 59′ 40″
Length: 11 km
Widht: 6 km
Surface: 41 km²
Highest altitude: Pico do Facho 516 m
Population: 5 000 inhabitants
Populational Density: 120 inhabitants/km²
Capital: Vila Baleira

CLIMATE – Dry and stable.

BEACH – Very fine sand with approximately 9 km. in length.

HISTORY – In the 15th century, in 1420, Bartolomeu Perestrelo initiated the inhabiting. It was attacked and sacked by pirates several times.

MONUMENTS – The house of Christopher Columbus, The Church of «Piedade», The Chapel of the Grace, the Holy Spirit Chapel, St. Peter's Chapel and the Town Hall.

DÉCOVERTE – 1418 par João Gonçalves Zarco et Tristão Vaz Teixeira

LOCALIZATION – Océan Atlantique
Longitude 16° 16′ 35″
Latitude 32° 59′ 40″
Longueur: 11 km
Largeur: 6 km
Superficie: 41 km²
Point culminant: Pic du Facho 516 m
Population: 5000 habitants
Densité: 120 habitants au km²
Capitale: Vila Baleira.

CLIMAT – Sec et stable.

PLAGE – De sable très fin d'environ 9 km de long.

HISTOIRE – Au XVᵉ siècle en 1420 Bartolomeu Perestrelo a entrepris le peuplement. Plusieurs fois attaquée et mise à sac par les pirates.

MONUMENTS – Maison de Christophe Colomb, Église de N. D. de la Pitié, Chapelle de la «Graça», Ermitage de la «Graça», Chapelle du Saint-Esprit, Chapelle de «São Pedro» et Mairie.

ENTDECKUNG – 1418 durch João Gonçalvez Zarco und Tristão Vaz Teixeira

GEOGRAPHISCHE LAGE – Atlantisher Ozean
Längengrad 16° 16′ 35″
Breitengrad 32° 59′ 40″
Länge: 11 km
Breite: 6 km
Oberfläche: 41 km²
Höchster Berg: Pico do Facho 516 m
Bevölkerung: 5 000 Einwohner
Bevölkerungsdichte: 120 Einwohner/km²
Hauptstadt: Vila Baleira

KLIMA – Trocken und Beständig

STRAND – Sehr feiner und heller Strand von ca. 9 km. Länge

GESCHICHTE – Im Jahre 1420 begann Bartolomeu Perestrelo die Insel zu besiedeln. Sie wurde mehrmals durch Seeräuber überfallen und geplündert.

BAUDENKMÄLER – Das Haus von Christopher Columbus, Igreja da Piedade (Kirche), Capela do Espírito Santo, Capela de São Pedro Capela da Graça (Kapelle), und das Rathaus.

Ponta de
ILHÉU DE FERRO
Furna de
pta da